GW00392089

AVE FÉNIX

Andrés Trapiello nació en Manzaneda de Torio (León) en 1953. Desde 1975 vive en Madrid. Fue director de la editorial Trieste y en la actualidad dirige *La Veleta*. Ha sido colaborador habitual de *ABC*, *La Vanguardia* y *El País*. Como narrador ha publicado *La tinta simpática* (1988) y *El buque fantasma* (VIII Premio Internacional de Novela Plaza & Janés, 1992), así como los cuatro primeros tomos de sus diarios, agrupados bajo el título *Salón de pasos perdidos*, y el volumen *Mil de mil*. Como ensayista, *Clásicos de traje gris* (1990), *Viajeros y estables* (1992), *Las vidas de Miguel de Cervantes* (1993) y *Las armas y las letras. Literatura y guerra civil 1936-1939* (Premio Don Juan de Borbón, 1995). Como poeta, *Junto al agua* (1980), *La vida fácil* (1985), *El mismo libro* (1989), *Las tradiciones* (1992), *Acaso una verdad* (Premio Nacional de la Crítica, 1993) y *Para leer a Leopardi* (1995).

El buque fantasma

ANDRÉS TRAPIELLO

PLAZA & JANÉS EDITORES, S.A.

Diseño de la colección: Dpto. Artístico de Plaza & Janés
Ilustración de la portada: Pintura de Pelayo Ortega

Primera edición: enero, 1998

Printed in Spain – Impreso en España

ISBN: 84-01-41877-1
Depósito legal: B. 49.294 - 1997

Fotocomposición: gama, s. l.

Impreso en Romanyà Valls, S. A.
Verdaguer, 1. Capellades (Barcelona)

L 4 1 8 7 7 1

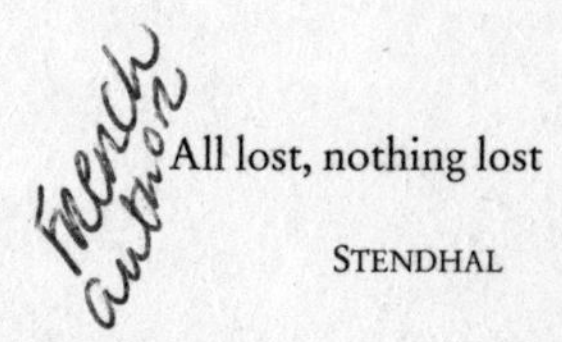

All lost, nothing lost

STENDHAL

DANNY:	–Pecky, ¿tú qué opinas? ¿Hemos desperdiciado la vida?
PECKY:	–Eso... depende de cómo se mire. No creo que el mundo haya mejorado gracias a nosotros.
DANNY:	–No, eso no.
PECKY:	–Y tampoco creo que nadie llore nuestra muerte.
DANNY:	–Bueno, pues que no llore.
PECKY:	–No hemos realizado muchas buenas obras.
DANNY:	–Ninguna. Eso es verdad.
PECKY:	–Pero, ¿cuánta gente ha viajado lo que nosotros... y visto lo que nosotros?
DANNY:	–Muy pocos, desde luego.
PECKY:	–En este momento no me cambiaba ni... ni por el mismísimo virrey si tuviera que olvidar mis recuerdos.
DANNY:	–Ni yo tampoco.

RUDYARD KIPLING
El hombre que pudo reinar

ayer no más...

RUBÉN DARÍO

1

La Estación del Norte de V. era, y supongo que seguirá siéndolo, como la mayoría de las estaciones de tren que conozco de capitales de provincia. Presentaba un aspecto majestuoso y parisién. Algunos la encontraban magnífica. Sostenían: es un buen ejemplo de la arquitectura civil de finales del siglo XIX, lo mejor que hay en V. Para otros, en cambio, no era más que una tarta, merengue y bizcocho montados sobre los ideales burgueses. Sin ser gran cosa, yo la encontraba decorativa. Me gustaba, siempre me han gustado las estaciones de tren. En ellas empieza o termina algo, a poco que se fije uno. Y es bueno que las cosas empiecen, que las cosas acaben, sin tener en cuenta si lo de en medio ha sido bueno o malo.

En el vestíbulo de la estación de V., desproporcionado y alto, había un farol no menos anacrónico y desproporcionado, y una acústica lamentable con tanto mármol, que era imposible entender nada de lo que salía por los altavoces.

También había numerosos tubos de neón, la mayoría de los cuales estaban fundidos. Otros tartamudeaban de forma recalcitrante, seguramente para poner nerviosos a los viajeros.

He pasado tantas horas en esa estación, que me basta cerrar los ojos para ver cada cosa en su sitio. La cantina, el quiosco de los periódicos, los guardias, los wc, aquellos wc que tenían pintadas en las puertas unas obscenidades bárbaras y manchados los baldosines biselados de las paredes con porquerías secas y negras.

Puedo recordar a la perfección los tres andenes, las vigas, las columnas de hierro fundido y un reloj mostrenco que había encima de la oficina del jefe de estación. Este reloj, descomunal y pintado de verde, era la representación misma de la obcecación del tiempo, pues a pesar de funcionar, daba siempre la impresión de estar parado y de que sus agujas, anchas y cortas, habían herido definitivamente al tiempo. ¡Cómo me era familiar aquel viejo y polvoriento reloj, cuánto aquellos desolados andenes, cuánto los rotos convoyes de trenes de mercancías, en un extremo, sin locomotora, sin principio ni fin, segmentos de algo que no tenían ni destino ni procedencia, iguales por un extremo, iguales por el otro, representaciones abstractas e ideales del espacio! Tiempo y espacio sin tiempo ni espacio.

Incluso los pasajeros que entraban y salían de la estación me daba la impresión de haberlos visto ya antes, a fuerza de frecuentar aquel lugar, como a lejanos parientes.

Los viajeros, así como los borrachines y noctámbulos de la ciudad, encontraban, al final del andén primero y abierta hasta las tres de la mañana, una sórdida cantina. En ella se pasaba el día un viejo sentado junto a la ventana. Ese viejo vendía cigarrillos y, no sé por qué, corbatas baratas y de muchos colores. En la estación había un estanco, pero siempre lo conocí cerrado. El viejo también vendía bajo cuerda preservativos y unas barajas pornográficas.

Cuando pienso en la estación, me acuerdo sobre todo de una vez. Fue cuatro días después del atentado a Carrero Blanco, el mismo día de Nochebuena por la mañana.

Había policías de paisano por todas partes. En la estación, más.

Ahora es posible que salga alguien sosteniendo lo contrario, pero entonces aquel atentado no cayó bien a nadie: venía a desbaratar los planes que todo el mundo tenía en relación a un proceso contra diez sindicalistas, conocido por el número de su expediente, el 1001. Luego, pasados unos meses, puede que el hecho hiciera prosélitos y simpatizantes. Puede. En los primeros días, no.

Carrero era un personaje siniestro, entre sacristán y verdugo, pero la mayoría receló de aquella muerte providencial. Y no tanto por lo que tenía de aberrante, como por lo que tenía de inoportuna, de izquierdista e infantil.

A nadie se le ocurrió pensar tampoco que aquél era, antes que nada, un asesinato común, como hay tantos, al que ni siquiera su condición de tiranicidio podía exculpar de su carácter criminoso. La alegría que ocasionó la eliminación del tirano fue muy superior a la repugnancia que debía haber producido la siniestra y fría ejecución de un hombre, y si en principio aquella muerte fue condenada por casi toda la izquierda, no lo fue tanto por lo que tuviera de repudiable, como por inopinada. Es decir: unos deploraron que hubiese sido Carrero y no Franco quien viajaba en aquel coche; otros pensaron que voladuras como aquéllas sólo deberían estar reservadas para las catarsis revolucionarias, tomas de palacios de invierno, sesentaiochos y demás tracas finales; y, por último, las preguntas que se hizo todo el mundo: «¿Quiénes son esos vascos para actuar sin consultar con nadie? ¿Qué era esa insultante suficiencia, esa incontestable eficacia? ¿Cómo pueden tener razón quienes trabajaban políticamente a espaldas del pueblo?»

El caso es que por aquel atentado y por lo del 1001 la estación de V. se había llenado de policías. Buscaban a unos cuantos cabecillas de la Universidad. Estaba claro que el que fuera detenido entonces lo iba a pasar mal y terminaría pagando por todo, por el 1001, por el atentado y por lo suyo particular, por la viña ajena y por la propia, como se dice.

Algunos de aquellos estudiantes habían caído ya y a otros los seguían rastreando. Entre los detenidos los había también de muchas clases, de muchas pastas, y eso no dependía siquiera de la clase o de la pasta, sino de más aleatorias circunstancias, como cocción, intensidad de fuego, agua...

Los había que conseguían resistir las torturas en comisaría y otros, como Gaztelu, que eran capaces, antes de que nadie les pusiera la mano encima, de confesar todo lo que sabían, presas del pánico que les producía la idea de la tortura física, que en su caso ni siquiera se llegaba a producir, porque la sola idea de la tortura era más brutal e insoportable que la tortura misma. Fue, como digo, el caso de Gaztelu. Gaztelu no era mala persona, pero firmó una declaración en la que figuraba, entre otros nombres, el mío.

Capeé el temporal durante dos días en la casa de un tío mío, pero al final no tuve más remedio que emerger de mi escondite y volver a *** para pasar las vacaciones de Navidad.

Yo me figuraba que ese sitio, la casa de mis padres, era un lugar seguro para esconderse. Tal vez veía a mis padres y a mis hermanas tan candorosamente ajenos a todo lo que de verdad pasaba en mi vida, que la casa paterna era para mí una torre de marfil, invulnerable y fuera de toda sospecha.

Ese día que digo, cuando fui a la estación para irme de vacaciones, estaba enfermo. Tenía fiebre y anginas, y también una gran excitación nerviosa por todo lo que me estaba pasando.

Cuando vi tanto policía, pensé darme la vuelta, pero no. Me dije: «Cuidado, te vas a delatar. Tranquilo.»

Al pedir el billete me castañeteaban los dientes, en la misma medida por la fiebre y por el miedo. El empleado me miró con curiosidad y a mí me pareció que con lástima.

A unos diez metros de donde yo estaba había un hombre que se me quedó mirando. Sólo le faltaba un letrero encima de la cabeza con una flecha que indicara: Brigada Político-Social.

Se trataba de un hombre insignificante, con un abrigo verde y gafas con los cristales verdes también, de las llamadas Rayban, lo cual era absurdo, porque ¿para qué quería unas gafas de sol en diciembre? Puede que con aquel aspecto quisiera delatar que era policía secreta, si no, no se comprende.

El vestíbulo a esa hora estaba lleno. Se congregaba en él toda clase de público, estudiantes, reclutas que marchaban de permiso y gentes de los pueblos vecinos que acudían a V. a hacer sus compras.

Yo no me atrevía siquiera a mirar a aquel hombre más que por el rabillo del ojo, pero a veces por el rabillo del ojo se ve más que mirando de frente, y me di cuenta de que él y otro que estaba a su lado no me quitaban la vista de encima.

Lo primero que hice al ver que venían hacia donde me encontraba fue apartar disimuladamente con el pie el bolso de viaje. Esa mañana había tenido la inspiración de meter en él unos números de *Pekín informa*, algunos más de *Nuestra lucha* y, por espíritu ecuménico, uno o dos «mundos obreros».

Recuerdo que luché contra el miedo, tanto por stajanovismo como para que no se me notara, porque el corazón me latía con fuerza, sin poderlo evitar. Noté sus latidos como batanes en todas las articulaciones, en las sienes, en las muñecas y, sobre todo, en las rodillas que se me quisieron doblar como las de un pollo muerto.

«Aguanta –me dije–, ha llegado el momento.»

–¿No te conozco? –me interrogó aquel policía cuando hubo llegado a donde estaba yo, y sin que yo pudiera adivinar si lo afirmaba o lo preguntaba.

Es absurdo las cosas que uno piensas en momentos de agudo peligro. Las que piensas y el orden en que las piensas. Me fijé en que tenía un ojo más arriba que otro. Uno se le veía en medio del cristal de la gafa y el otro casi se le salía fuera.

–Di.

–No sé.

–¿Tú no eres Moncada?

Tampoco esa vez sabía yo si lo preguntaba o si lo negaba.

–No.

–Bueno. Documentación.

Dijo esto en un tono muy especial, como si hubiera querido decir: se me están hinchando las narices.

Las suyas presentaban una forma caprichosa de rizoma y las tenía llenas de venitas partidas, de un color vináceo.

Naturalmente el policía ni siquiera se había molestado en mostrarme su placa. Yo tenía ese derecho. Es más. Incluso podía negarle mi carnet mientras no se identificara. Así era, pero me cuidé mucho de poner las cosas peor de lo que estaban y no dije nada, porque, entre otras razones, sólo hay una cosa que a un policía secreta le irrite más todavía que le descubran: que no le descubran. Se conoce que el tono autoritario con el que hablan les parece suficiente.

–A ver, la documentación –repitió aburrido y malhumorado.

No se recató en bajar la voz. Los curiosos nos miraban. Lo hacían sin atreverse a acercarse, preparados para seguir su camino si la escena les parecía comprometedora. Me había puesto colorado de vergüenza. Sentía sobre mí las miradas de todos aquellos extraños y curiosos.

Ésa era otra cosa. Por aquellos años todo el mundo había desarrollado un instinto especial para saber qué cosas podían mirarse impunemente y cuáles no, lo que podía mirarse de cerca, y lo que no convenía observar sino a cuatro o cinco metros de distancia, por si acaso. En aquella ocasión la gente, a una distancia prudencial, no perdía ripio de lo que pasaba allí, sin saber aún de qué se trataba.

Me sudaban las manos. El carnet estuvo a punto de escurrírseme entre los dedos.

Mi nombre fue un duro golpe para el instinto deductivo de aquel hombre, lo cual le contrarió no poco.

–Hubiera jurado que eras Moncada –mascullóʼ–. ¿Eres estudiante? ¿Qué estudias?

–Filosofía.

–¿Es tuyo eso? –y señaló con su nariz mi equipaje.

«Ya estoy perdido», pensé.

–Sí. Me voy de vacaciones de Navidad. –Y traté de dar a esa frase la entonación del que quiere colaborar con la policía sin rebajarse al servilismo, pero se me fue la mano y sonreí de una manera poco digna.

Me dije: «Bueno, ahora, ya.»

Cuando esperaba que los policías se lanzaran sobre la bolsa, se dieron media vuelta y me dejaron allí, en medio del vestíbulo.

Los mirones se dispersaron decepcionados. Casi seguro que a los muy miserables les habría gustado verme detenido, sólo para tener luego algo extraordinario que contar al llegar a sus casas. Los dos policías volvieron a ponerse junto a la puerta, para escudriñar la cara de los que entraban y salían. Seguían con la esperanza de sorprender al tal Moncada.

La boca se me llenó de saliva y no supe si no podía tragarla por el terror o por las amígdalas. Estaba deprimido y me dolían los huesos de frío y de tristeza. No podía quitarme de la cabeza la debilidad de haberme reconocido propietario del bolso de viaje y, lo que aún era peor, seguía mortificándome el recuerdo, la indignidad de haber sido, por pánico, simpático con quien únicamente podía repugnarme. Era, si se quiere, una de esas pequeñas heridas que nos infligimos a menudo, más tolerables porque nos las hacemos nosotros mismos, pero no menos profundas ni difíciles de cicatrizar.

Y así terminó aquella escena humillante. Por los altavoces anunciaron mi tren, los andenes volvieron a vaciarse y la ciudad se quedó atrás, como ese periódico atrasado caído sobre un charco.

Cuanto acabo de contar aquí ocurrió el último año que pasé en V. Aunque en realidad yo había llegado a esa ciudad por primera vez un año y medio antes.

2

Fueron varias las razones por las que me fui a vivir a V.

La más importante, pero no la única, era porque en V. había universidad. También fue porque en V. tenía unos tíos, un hermano de mi padre y otro de mi madre.

El hermano de mi madre, después de haber dado tumbos por quince o veinte empleos, había ido a parar a una destartalada oficina de cobro de impagados y morosos. Se llamaba Pepe y se apellidaba De Juan, por lo que unos le llamaban Pepe y otros creían que se llamaba Juan. Lucía un bigotito de Fígaro y escribía dramas en verso a lo Zorrilla, dramas que recitaba cuando le dejaban. Era un hombre divertido, con un humor excelente a todas horas, inofensivo y disparatado. Es verdad que estaba algo loco, pero la suya era una locura sumamente distraída que no hacía daño a nadie, ni siquiera a él mismo.

Yo quise irme a vivir a casa de este tío, pero mi padre dijo que no.

Mi padre, que venía de una familia mejor que la

de mi madre, se avergonzaba de todos y cada uno de nuestros parientes pobres.

Mi familia paterna se apellidaba Benavente y la materna De Juan. Los Benavente eran alguien, como sabía todo el mundo. Los De Juan, en cambio, y el tío Pepe en particular, según mi padre, no pasaban de ser unos trapisondistas. Resultaba problemático adivinar lo que trapisondista y trapisonda significaban para mi padre, pero eran esos unos arcaísmos que aplicaba a todas las cosas y personas que no le eran simpáticas, y mi tío Pepe saltaba a la vista que no se lo era en absoluto. Por esa razón Antonio Benavente, es decir, mi padre, se opuso a mi madre, Angelines De Juan, y a mí mismo, Martín Benavente De Juan, para que un Benavente se mudara a vivir a casa de un De Juan.

A cuenta de eso hubo unas discusiones agrias en casa. A mi madre el desprecio de mi padre por toda la familia de ella le parecía una vejación, pero terminaba siempre por doblegarse, como yo mismo, a la autoridad paterna, que era, en ese y en todos los demás terrenos, de sátrapa. Para mi padre estaba decidido que un hijo suyo no podía irse nunca a vivir con un cobrador, y así lo acaté, si bien mi madre nunca dejó de sostener, con aplomo inexorable, que su hermano no era cobrador, sino gestor administrativo.

El otro tío era el tío Narciso, el hermano mayor de mi padre. Todo lo mal que se llevaba mi padre con su familia política, se llevaba bien con la propia. Para mi padre lo que dijera o dejara de decir su hermano mayor Narciso era precepto sagrado. Narciso le sugirió: «Mándame al chico», y para mi padre no hubo más. Así fue como quedó decidido que yo me iría con el tío Narciso.

El día 3 de octubre tomé un expreso para V.

El tío Narciso no vivía lejos de la estación. Ni siquiera tuve que utilizar los servicios de un taxi, de modo que me encaminé hacia allí andando, con la maleta en la mano, lo cual no fue una buena idea, pues cada cinco metros tenía que pararme, ya que pesaba la impedimenta dos veces mi propio peso, y las manos se me hincharon como botas de cargar con ella.

Cuando pienso hoy que la mayor parte de la carga se debía a libros de Engels, de Freud o de Tamames, y a voluminosos manuales sobre las colectivizaciones agrarias y revueltas campesinas en la Baja Andalucía a finales del siglo XIX, me enternezco, si no fuera porque, veinte años después, eso mismo supone una indiscreta mortificación.

Quién me había iniciado en tan amenas lecturas, es cosa difícil de determinar aquí. Seguramente la época. Esos libros los daba la época, como cierto abrigo, cierto grado de humedad y algo de sol hacen crecer las setas en un suelo propicio. La época, y también un elevado número de misas con guitarra en San Efrén, la única parroquia que había en mi pueblo cerca de unas chabolas. Ése era el proceso. Así es como llegaba un joven de diecisiete años hace veinte a Carlos Marx y a Castilla del Pino, y en mi caso a la casa del tío Narciso.

Ésta era grande y alborotada. Vivían en ella mi tío, mi tía, ocho niños entre los seis meses y los catorce años, una muchacha y una cocinera vieja, loca y sin dientes que terminó acusándome, cuando yo ya no vivía allí, de haberla dejado embarazada.

Mi tío Narciso era un veterinario que se dedicaba sobre todo a los negocios. Tanto como para hacer dinero, poseía una técnica infalible para hipnotizar gallinas, además de dos o tres granjas y una fábrica de piensos compuestos.

Las gallinas las hipnotizaba por fantasía, como también hipnotizaba a las personas a veces. Lo hacía casi siempre en las sobremesas. Era como una tradición después de la comida que tenía lugar una vez al año y en la que se reunían todos los Benavente, que el tío Narciso hipnotizara a alguien y le diera órdenes para que éste las ejecutara ya en estado consciente. Se trataba siempre de disposiciones extravagantes y ridículas, como ponerse a cuatro patas y ladrar o limpiar con la lengua el plato del vecino. Hipnotizaba por lo general a los más pequeños. También hipnotizó una vez a un camarero. Cuando lo tuvo hipnotizado, le traspasó con el alfiler del broche de una señora la papada, sin que el camarero notara ningún dolor. Cuando se lo contaron después del trance, aquel hombre armó una gresca terrible y quiso clavarle un cuchillo al tío Narciso. Mi tío empalideció y no pudo evitar que la comida se le indigestara.

Para el tío Narciso todas aquellas actividades frenopáticas no eran pasatiempos ni curiosidades recreativas, sino muy sesuda psicología aplicada. Se consideraba un intelectual y se hacía llamar doctor, por lo que mucha gente creía que era médico y no veterinario.

Los primeros días me dediqué a reconocer el terreno, en general, y a observarle y estudiarle de cerca a él, en particular, siempre que podía, pues se pasaba la vida de viaje.

Montaba granjas de pollitas ponedoras en lugares extraños como Luanda, Costa de Marfil o Venezuela, donde siempre conseguía hacerse amigo de dictadores y de caciques locales, a los que seducía con sus dotes de hipnotizador y brujo. Estos magnates de la pollita ponedora le correspondían con gratitud y le regalaban colmillos de elefante, pieles exóticas y tallas y máscaras de ébano. Mi tío volvía de estos viajes como un merchán y mi tía María Eugenia, que se las daba de decoradora, esparcía aquellas mercaderías por habitaciones y salones con un gran sentido del efecto. Por esa razón la casa tenía un algo de bazar, con tanto y tan variopinto género que mi tía se encargaba de enriquecer con lo que ella, de su cosecha, le compraba a los anticuarios de V., como los dos grandes dogos de porcelana de la entrada o la panoplia de terciopelo rojo con tizonas y floretes.

Aquél era mi nuevo hogar.

De modo que la universidad y la familia fueron algunas de las razones que yo tenía para irme a vivir a V., pero no eran las únicas. Hubo otras más íntimas, y al menos una, que me cuidé mucho de participársela a nadie, tenía para mí rango de razón vital.

Cuando el tío Narciso le dijo a mi padre «mándame al chico», yo puse una condición.

–De acuerdo –advertí–. No me voy a un colegio mayor ni me dejáis ir con el tío Pepe. Me tengo que ir con el tío Narciso. Conforme. Pero que el tío Narciso me consiga un trabajo en V. Él puede colocarme en cualquier parte. Si quiere que me vaya con él, que me busque algo. Quiero pagarme la carrera.

Mi padre recibió aquella idea alarmado.

Como lo conocía bien, le dejé desahogarse y cuando hubo terminado, volví a la carga:

–No hay nada malo en que yo quiera trabajar y estudiar al mismo tiempo. Si puedo hacerlo, ¿a ti qué más te da?

Como mi padre no supo contestar a esta pregunta, telefoneó a su hermano.

A mi tío en cambio no le pareció mal. Siempre hacía lo mismo. Daba la impresión de que él podía arreglar todos los problemas, como si escondiera un as en la manga. Era formidable. Un cruce perfecto entre mago y jugador de ventaja. Se sentía primogénito y ejercía de ello. Luego se desentendía de todos y de todo, y seguía a lo suyo. Como no me fiaba, hablé personalmente con él:

–Vale. Yo viviré con vosotros, pero tú me das un trabajo y me pagas igual que a uno de tus obreros. A trabajo igual, salario igual.

–¿Lo has oído? –gritó mi padre a mi madre–. ¿Lo has oído tú? «A trabajo igual, salario igual.» ¿Quién le ha metido esas teorías en la cabeza? –Y levantaba los brazos al cielo.

De la vida y de la lectura de aquellos libros que durante unos años me acompañaron a todas partes donde iba, yo había sacado ya mis propias convicciones y tenía mis propios ideales.

–Quizá –le confesé a mi madre cuando ésta trató de borrarme con sus lágrimas unas opiniones que según ella jamás habían entrado en la familia, ni por la puerta de los De Juan ni por la puerta de los Benavente–, quizá sea una ilusión. ¿Y qué? ¿No tiene el tío Narciso la ilusión de hipnotizar a todo el mundo?

Y la mía era ésta: yo estaba sinceramente convencido de que pagando mis estudios con el sudor de mi frente contribuía tanto a remediar las injusticias sociales en el mundo como a una más pronta llegada del comunismo a España. Porque una cosa era segura: el comunismo acabaría por llegar a España y yo lo recibiría en una fábrica. Eso por descontado.

Y así fue como me instalé en casa del tío Narciso.

Pasaron las dos primeras semanas, pero mi tío no dio señales de haberme encontrado ya la colocación prometida. Yo no hacía otra cosa que decirme: «Me han engañado. ¿Para qué me ha traído aquí?», y empecé a sospechar que mi padre y su hermano en combinación, es decir, los Benavente, me la habían jugado, los mismos entre los que gozaba fama de exaltado y violento. Por ejemplo: a los dieciséis años ya tenía el convencimiento firme de que el hombre provenía, por vía evolutiva, del mono, de los primates, según había leído en un libro de bolsillo publicado en una editorial de toda solvencia. Así lo había leído y así lo expuse en el transcurso de una de las comidas anuales con la familia de mi padre. La risa que les causó aquella teoría mía tiró a todos, tíos, padres, primos y abuelos por el suelo, mientras se desternillaban entre las sillas: «¡Qué risa! –decían–. ¡Qué ocurrencia más buena! ¿A quién ha salido este chico?», y no podían contener las lágrimas ni las carcajadas ni los hipidos que les sacudían el pecho. Incluso el tío Narciso, que era veterinario, y que se supone que debía saber de animales más que ninguno, era el que mejor y más a gusto se reía.

Otro año, y también en una de aquellas comidas donde el tío Narciso terminaba hipnotizando a alguien, yo bebí más de la cuenta. Cuando estaba todo el mundo desprevenido, me subí a una silla, levanté mi copa de champán y proclamé:

–¡Viva la Eta!

Aquello en cambio no les hizo gracia. El Proceso de Burgos estaba todavía muy cerca. No se rió nadie, mi padre pegó un puñetazo en la mesa y se produjo un silencio sin fisuras. Mi madre empezó a llorar y la abuela, que me odiaba porque según ella yo me parecía desde la cuna a un De Juan, dijo a su hijo, o sea, a mi padre: «Ya tenía el niño que soltar la patochada», con un disgusto del que aún se guarda memoria en la familia.

Hablar de mí en la familia era, por tanto, hablar de alguien de salidas imprevistas, recursos oscuros y facultades desconcertantes.

Después de lo del mono y de lo de la Eta nadie dudó que yo era comunista. Todavía inocuo, pero comunista. Por eso mi padre recelaba de enviarme a la universidad. Veía en el acontecimiento un escollo inevitable que acarrearía desgracias sin cuento al clan.

Mi tío Narciso trató de tranquilizarle y le dijo:

–Antonio, déjalo de mi cuenta. Vamos a inocular en el chico, en forma de virus debilitados, las mismas ideas de las que presume. ¿No dice que es marxista y no está a favor de los obreros? Pues se va a enterar de lo que es trabajar en una fábrica. ¿Quiere pagarse la carrera? Ya nos lo dirá con los riñones partidos.

Para eso fui a V. Cuando llevaba ya dos semanas

allí, no pude contener la ansiedad, perdí la paciencia y le dije que si no me conseguía pronto el trabajo, me lo buscaría yo mismo y dejaría su casa.

–Estoy en ello –insistió–. No te preocupes.

Era todo cuanto sabía replicar.

El tío Narciso aseguraba que él no tenía ideas políticas y que en materia de religión se consideraba tolerante, aunque estas dos opiniones quedaban mejor explicadas en sendas fotografías, metidas ambas en vistosos marcos de plata. En una se le veía al tío Narciso dándole la mano a Franco, y en la otra aparecían él y la tía María Eugenia, ella con peineta y mantilla española, junto a Pío XII, en la audiencia privada que este papa concedió el año de 1957 a toda su promoción, peregrinos en Roma con sus esposas.

De religión lo cierto es que no hablaba nunca. En cambio sí lo hacía de política. Buscaba él mismo la excusa. En aquella casa no podía tener una conversación con nadie. Con sus hijos no, porque todavía eran pequeños, y con la tía María Eugenia menos.

Le gustaba mucho decir: *dialécticamente*. Esta palabra la había aprendido hacía poco y abusaba de ella conmigo. Su frase predilecta era: «¡Desde un punto de vista dialéctico, yo soy un liberal!» Casi la gritaba. Tal vez le embarazaba decir aquellas cosas delante de las dos eminencias de las fotografías.

Cuando pasó otra semana, yo volví a la carga:

–Tío, ¿cómo va lo de mi trabajo?

–Tú estudia –volvió a repetir él–. Vas a trabajar más de lo que te gustaría, pero dame tiempo. De momento, ocúpate de tus clases. ¿Qué tal van?

Las clases habían empezado ya. Los primeros días resultaron caóticos. La sensación que se tenía al entrar en una facultad era muy rara.

Al principio, la gente se miraba con recelo en las aulas y nadie se atrevía a hablar más de cinco minutos seguidos con la misma persona.

Eran bastantes los que creían que aquello estaba plagado de elementos subversivos, anarquistas y otros deléteros peligros. Muchos incluso evitaban entablar conversación con un desconocido. Seguramente temían que los confidentes, también llamados sociales, fueran a delatarles o que los comunistas les hipnotizaran, como hacía el tío Narciso a las gallinas y a los camareros. Hasta el mismo tío Narciso creía que las técnicas de hipnosis las manejaban mejor que nadie los alemanes del Este, según me confesó una vez sin asomo de ironía, a propósito de las técnicas comunistas de captación y adiestramiento.

Mi situación académica no era menos incierta que mi situación laboral.

Por una serie de complicados trámites burocráticos mi expediente académico se había extraviado, y para júbilo de la secretaria del decanato, un loro de ciento veinticinco años, no pude matricularme dentro de plazo. Eso me convirtió en oyente.

El primer día, durante la clase de Prehistoria, que dictaba curiosamente un homúnculo esquelético vestido con un traje negro y raído, me senté en la última fila. A mi lado había alguien para mí desconocido.

Parecía algo mayor que yo y más bajo que yo. El pelo le caía sobre la frente en rizos despeinados.

Tenía unas patillas largas y pelirrojas y muchas pecas en la cara y en las manos. Había algo en él que recordaba a uno de esos revolucionarios irlandeses. No sé. Quizás esa fatalidad de los que tienen una causa justa, una juventud hermosa y la audacia en los ojos, pese a lo cual no pueden evitar ser unos perdedores sin remedio. Había algo en su mirada que lo delataba así.

Era José Rei.

–Me llamo José Rei –me dijo–. ¿Eres nuevo aquí?

Me informó que él también era oyente, aunque por otras causas.

3

En menos de quince días, Rei y yo habíamos hablado ya de muchas cosas. Él había estudiado dos cursos de Medicina, había descubierto que ser médico no le gustaba, y se había pasado a Filosofía. Era, por tanto, alguien con más experiencia que yo. Nos sentábamos juntos en clase y después de clase nos marchábamos a tomar unos vinos, que era la costumbre. A veces solos, a veces en compañía de otros.

Al mes y medio de conocernos me dijo:

–Quiero presentarte unos amigos míos. Tenemos un grupo de trabajo.

–¿Eso qué es?

–Nos vemos de vez en cuando, hablamos de la situación actual, nos pasamos libros, discutimos.

–¿De política? –pregunté.

Ésa era una palabra peligrosa.

–Sí, ¿por qué no? También de política, de la universidad, de economía.

–De acuerdo, llévame. Preséntame a esos amigos tuyos.

Estaba desconcertado, sin saber qué pensar. Era

como advertir el peligro, sin poder apartarse de él, mirar el fondo de un precipicio y no atreverse a dar un paso atrás por temor a que ése, el paso del miedo, fuera justamente el que te llevase al abismo.

A los amigos de Rei les conocía de vista, de haberme tropezado con ellos en los pasillos de la facultad. Uno se llamaba Gaztelu y el otro, Gabriel Tejero. La primera reunión a la que Rei me llevó tuvo lugar en la casa de los padres de Gabriel.

–Éste es el nuevo –informó Rei.

Ni Gabriel ni Gaztelu me tendieron la mano. Me dijeron hola, nos sentamos y Gabriel tomó la palabra.

Gabriel era una persona rara, un rigorista. Hablaba siempre en voz baja, y por lo que pude ir constatando con el tiempo hacía muchas cosas al revés que todo el mundo. No le gustaba nada de lo que nos gustaba a los demás. Por ejemplo: escribía con la izquierda, no fumaba, no bebía nunca, no iba al cine jamás, no salía nunca por la noche, nada. Sólo le gustaba tocar el violín. Yo no lo oí nunca, pero según Rei tenía concepciones musicales muy personales y estrictas. Usaba el violín únicamente para interpretar en él unas versiones inquietantes y poco humanas de la *Internacional* y otros himnos revolucionarios que elevaban su moral y exaltaban su ardor combativo. Tampoco se reía nunca. La única expansión que se permitía era una muletilla que repetía siempre y para todo: «me cago en Soria», que me parece que era de donde era él.

Gabriel hablaba con decisión. Tenía las ideas claras y todo el aspecto de ser una persona no sólo enteca sino glacial. A los diez minutos desapareció en una de las habitaciones de la casa y volvió con unas hojas ciclostiladas, que repartió y glosó. Decía: «Aplicando las enseñanzas del materialismo dialéctico y tras una larga etapa de autarquía y otra, más corta, de oligarquía financiera, a España le queda muy poco para dar el gran salto. Cinco, siete, diez años a lo sumo.» O bien: «La burguesía, exhausta por las continuas y valientes acometidas del proletariado y el campesinado» (porque era raro que olvidara al campesinado), «la burguesía tendrá dos opciones a corto plazo: o un pacto de clase con la vanguardia comunista o resignarse a desaparecer».

La reunión duró dos horas. A las dos horas nos quitó de las manos las hojas, desapareció de nuevo y al volver nos despidió:

–Hasta el jueves que viene.

En la calle, Rei me sondeó:

–¿Qué te ha parecido?

–¿La reunión?

–No. Gabriel. Es magnífico. Es inteligente y no conozco a nadie tan preparado como él para la política. ¿Te has dado cuenta de los análisis que hace? No falla nunca.

–¿Tú le admiras mucho?

–Cuando le conozcas más, tú también le admirarás.

Después de esa reunión, acompañé a Rei dando un paseo.

Rei vivía en una casa vieja de la calle Simancas. Era una de las pocas casas de dos plantas, con jardín y cochera que quedaban en la parte decimonónica de V.

El jardín lo tenía detrás y era pequeño, umbrío

y triste, encajonado entre otras tres casas, a las que servía de patio de luces. Algunas yedras trepaban con dificultad por las paredes rojas de ladrillo y dos negras acacias lo miraban todo como viejos que, comprendiendo el mundo, no quieren saber nada de él. No era un jardín romántico, sino descolorido, con tierra pisada y dura y algunas malas hierbas que salían aquí y allá, a corros o en los rincones.

Su padre era militar, coronel y director del hospital. Rei hablaba de él con admiración. «No es como los demás militares», aseguraba.

Rei era el undécimo de dieciséis hermanos. Esto sorprendía y desconcertaba tanto que el propio José o Pepe, como se le llamaba a veces, se veía siempre en la obligación de repetir la cifra.

Con tantos hermanos la casa se asemejaba a una colmena. Había a todas horas en ella una gran actividad, los que entraban, los que salían, unos que se marchaban a hacer la mili o volvían casados, con más mujeres y más hijos, las chicas que hablaban todo el día por teléfono con los novios, los pequeños que se sacaban los ojos y se mordían en las orejas, sin contar con los invitados que todo el mundo se creía con derecho a traer a comer, a pasar un fin de semana, a estudiar...

Yo le había dicho a Rei que en casa de mi tío Narciso era imposible estudiar, por el griterío constante, y él me propuso:

–Vente a la mía.

–Pero en la tuya será peor –le recordé.

–No, porque yo tengo un cuarto especial, donde no se oye nada. Te puedes incluso quedar a cenar algún día, si quieres, y a dormir.

–¿No dirán nada?

–No. En mi casa todo el mundo hace lo que le da la gana.

Era verdad. Rei había obtenido de su padre el permiso y había adecentado uno de los trasteros, que convirtió en su cuarto. Prefería eso a compartir una habitación mejor con dos de sus hermanos.

Aquel trastero estaba independiente de la casa, en un anexo que en su día debió de ser la casa de los porteros y que ahora habían convertido en una lechería y en vivienda de los lecheros. De esa pequeña dependencia habían segregado dos cuartos, para almacén de trastos viejos. Uno era el de Rei. Se podía llegar a él bien cruzando por el jardín, bien por un costado, por una puerta verde que daba a un callejón situado a espaldas de la calle Simancas.

Entramos y nos sentamos los dos en el suelo, sobre unos cojines. Rei lo tenía todo en el suelo, la cama, los libros, una lámpara. Todo.

–¿Qué música te gusta? –me preguntó de improviso.

Nos hacíamos preguntas como aquélla, a bocajarro, por la necesidad de reconocernos y no perder el tiempo en más rodeos.

Fue un descanso para los dos descubrir que nuestra afición a la música marchaba, como quien dice, de consuno, igual que nuestras lecturas.

Las lecturas de Rei, en cambio, marchaban mucho más adelantadas que las mías. Si yo había leído un libro de éste o del otro, él había leído cuatro, y yo creo que con más aprovechamiento.

Por ejemplo. Un día le abordé:

–¿Tú entiendes algo de *El Capital*?

Por aquel entonces tenía yo un gran complejo porque había leído parte de ese libro, con mucho esfuerzo, y no entendía nada.

Tardó en darme una respuesta, pero al fin se decidió.

–Sí. No es difícil. No es fácil, pero tampoco es difícil. Por otra parte lo que quiere decir Marx...

Y Rei se remontó a la historia según la cual los comerciantes medievales ingleses recorrían los pueblos galeses llevándoles lanas y telares a los lugareños, para pasar meses después, cuando el trabajo estaba realizado, a recoger las piezas de tela manufacturada y los telares, tras haberles pagado un salario de hambre, fijando así y para siempre los pilares del capitalismo, lo que se conocía con el nombre de *verlagsystem*, que no había que confundir con el *domesticsystem*, que era un sistema parecido, pero que no tenía nada que ver.

Fueron desde luego días muy provechosos. Y así fue también como me explicó Rei las diferencias que existían entre una sociedad feudal y otra industrializada, y cómo las revoluciones se llevaban a cabo en los países industrializados y no en los feudales, y por los obreros y no por los campesinos; eso era algo que no fallaba, si bien las únicas revoluciones que se habían producido hasta la fecha, según pudimos comprobar, habían estallado en países feudales, como Rusia y China, y no en países industrializados, y las habían protagonizado los campesinos y no los obreros, aunque todo esto por otras causas, cosa que quedaba perfectamente explicada gracias al materialismo dialéctico, cuyos orígenes se remontaban a Demócrito de Abdera y a los famosos presocráticos, hasta llegar a Feuerbach y a...

Desde luego, Rei tenía muchas más lecturas que yo, aunque no tantas como Gabriel, que era el que en nuestras reuniones se ocupaba de las cuestiones intrincadas y abstrusas, es decir, cuestiones a un tiempo abstractas y a un tiempo obtusas, como, por ejemplo, «el desarrollo desigual y combinado», sin el cual no era fácil dar un paso en el terreno siempre árido de la revolución.

Desde ese primer día, yo adquirí la costumbre de pasarme por casa de Rei a menudo, porque no quedaba lejos de la de mis tíos.

Llegué a tomarle cariño a aquel cuchitril donde Rei tenía metido un camastro de campaña y la estantería hecha con tablas y ladrillos, y las paredes de negro y también el techo, que lo había pintado todo así para acentuar, quién sabe, lo que tenía de cueva aquel lugar.

Un día le pregunté a Rei si no conocía a ninguna chica y si no tenía amigas.

Fue la primera vez que Rei y yo hablamos de mujeres. Después de casi dos meses era la primera vez que íbamos a abordar una materia para mí tan inexplorada.

A pesar de su facilidad de relación, Rei era tímido. Se ponía colorado por cualquier cosa, lo que resultaba un tanto ocioso, porque el ser pelirrojo le absorbía la mitad de su rubor. Su fisonomía era la de un emperador romano, a un tiempo mórbida y dura. Tenía esas dos cualidades juntas. Era dulce y brutal al mismo tiempo, igual que sus ojos, que eran azules y fríos a la vez que brillantes y tiernos.

A las chicas les gustaba Rei. Con ellas, Rei se ponía colorado y tartamudeaba algo, y eso a las chicas les gustaba, porque les parecía muy delicado que a alguien de aspecto tan rudo no le importara mostrarse sensual e inseguro.

–He tenido –me confesó– tres novias fijas.

Para él novias significaba que habían sido historias importantes, y fijas, que se había acostado con las tres.

Yo tuve que confesarle que no había tenido hasta el momento ninguna novia, pero que no lo descartaba y que desde luego me gustaría que también fuera fija.

–¿No te has acostado nunca con una mujer? –me preguntó con los ojos desmesuradamente abiertos.

Esta vez el que se puso colorado fui yo.

En cambio, él admiraba que yo fuera a trabajar en una fábrica. Incluso creo que me habría pasado una de sus novias para que me acostase con ella, si a cambio hubiera conseguido el puesto que me había prometido mi tío.

–En China –me informó con admiración– todos los estudiantes trabajan la mitad del tiempo en el campo o en las fábricas y la otra mitad estudian.

–Eso será en China –contesté–, pero aquí mi tío Narciso no quiere encontrarme esa colocación.

Y era verdad. Era como si se hubiera olvidado del trabajo y de mí. Se lo preguntaba todos los días. Pasaba el tiempo, habían pasado casi nueve semanas y yo seguía sin trabajo. Cada día me agobiaba más y más aquella casa, mi tío, mi tía, las dos fotografías en sus marcos de plata, la cocinera loca, los niños, todo. Envidiaba a Rei. Entraba y salía de su casa a la hora que quería. Nadie le decía nada, nadie le echaba en falta nunca. La libertad de la que él disfrutaba ponía en evidencia el régimen semipenitenciario en el que vivía yo.

Mi tía María Eugenia no hacía más que preguntarme a todas horas «con quién sales, con quién vas, a dónde, por qué, cuánto tiempo».

Me fiscalizaba:

–¿Cuándo vas a volver?

Yo, evasivo, burlaba su curiosidad.

–Luego.

–Luego, ¿a qué hora? ¿Con quién vas? No llegues después de las diez y media.

Era un círculo del que no podía uno salir: yo vivía en casa de mi tío Narciso, porque ésa era la única manera de recordarle que estaba allí esperando un trabajo, y que si no trabajaba, no tenía dinero, y que si no tenía dinero, ¿cómo podía irme de aquella casa, si no tenía dinero y quería pagarme mi carrera?

Además: ¿podía acaso leer con tranquilidad mis libros, mis queridos y secretos libelos?

Un día encontré a mi tío en mi cuarto, fisgando por aquí y por allá, espiando. Con todo lo grande que era su casa, me habían puesto en una cuarto absurdo, en medio del pasillo, lleno de trastos absurdos, como mantas, maletas, la tabla de planchar y dos cestas de mimbre.

–Estaba –se justificó nervioso cuando le sorprendí–, estaba mirando por curiosidad qué libros te gustan. Cuando tenga que hacerte un regalo, sabré qué te gusta leer.

Mi tío Narciso era insuperable. Caía siempre de pie, como los gatos.

Había también un problema añadido. Rei y Gabriel empezaron, cada vez con mayor frecuencia, a pasarme propaganda ciclostilada. Eran séptimas y octavas copias en papel manila donde resultaba imposible leer nada, porque el calco de carbón lo emborronaba todo como si fuese un ectoplasma. Aquello ya no era lo mismo que un libro. Era material inflamable. Para mí empezó a ser más difícil esconder aquellos panfletos que descifrarlos.

Estaba convencido de que un día terminarían por encontrarlos.

No me quedaba más remedio que marcharme de allí.

Se lo adelanté a Rei.

–Vente a vivir aquí durante un tiempo. Nadie se dará cuenta. Yo te traigo comida de la cocina.

Me habría gustado, pero no podía ser.

–Bueno. Sabes que siempre tienes esto. Aguanta. Quizá tu tío termine dándote ese trabajo. Por cierto, ¿tú querrías formar parte, como simpatizante, de nuestra organización?

–¿Qué organización? –la pregunta, aunque la esperaba, me cogió por sorpresa.

–La nuestra.

–¿Cuál? ¿En la que estáis Gaztelu, Gabriel y tú? Yo creía que ya formaba parte de ella.

–Pues no, todavía no formas parte de ella.

–Yo creía que sí.

–No. Teníamos que estar seguros de ti.

–¿Y ahora lo estáis?

–Ahora sí.

Todo era un juego de espejos, todos desconfiábamos de todo, todos nos estudiábamos.

–¿Y por qué tengo que ser primero postulante?
–Simpatizante.
–¿Por qué?
–Son las normas. Luego serás militante.
–Bien, ¿qué tengo que hacer?
–De momento, nada.
–¿Y luego?
–Poca cosa: ir a las manifestaciones, pasar propaganda, repartirla por los buzones, cumplir las normas de seguridad y de clandestinidad, hacer carteles, asistir a las reuniones de célula, no mucho. Y cotizar.
–¿Cotizar cuánto?
–Una cosa simbólica, para pagar la propaganda. Cien pesetas.
–Es poco, sí. De acuerdo.

4

Cuando yo tenía unos seis o siete años, otros chicos mayores que yo me llevaron a un almacén de pellejos. No queríamos para nada los pellejos, pero odiábamos al pellejero. El pellejero se había comprado un Buick de segunda mano. Aquel coche, que la gente llamaba haiga, fue de los primeros que se vieron de esa clase en la ciudad.

Los chicos estábamos deslumbrados. Lo llevaba pintado de azul turquesa con una raya de color rosa, un trozo de mar empaquetado con una cinta de chicle. ¿Podía haber algo más bonito?

El almacén del pellejero estaba a las afueras, frente a unos desmontes. Íbamos allí a escondidas de nuestras familias, que jamás supieron de aquellas excursiones ni tampoco de las batallas campales que manteníamos con los otros chicos de los arrabales vecinos.

El dueño de la pellejería era un hombre fornido y de aspecto feroz, corpulento y alto, casi lo que una puerta, con las mangas de la camisa remangadas, en invierno y en verano, por encima del codo, que se le veía toda la musculatura explosiva. Dejaba el coche como a unos veinte o treinta metros, porque no quería meterlo por el barro, y también oíamos cómo amolaba sus cuchillos entre chirridos escalofriantes. Una mañana nos vio merodear cerca del Buick, curioseándole el salpicadero y la tapicería. Entonces salió detrás de nosotros y nos persiguió a cantazos. Una de esas piedras le dio a uno en la oreja y le hizo sangre. Desde ese día le juramos un odio fiero.

El almacén lo cerraba todos los jueves por la tarde. En aquellos años los jueves por la tarde se hacía vacación en los colegios.

Y eso hicimos. Aprovechamos un jueves por la tarde para vengarnos. Rompimos la tela metálica de una de las ventanas traseras, la doblamos y entramos sin saber bien a qué. Cuando estábamos dentro sentimos el ruido del Buick. Nos precipitamos a la ventana. El pellejero oyó trastear, entró corriendo y me echó el guante a mí, que había sido el más lento en correr hacia la gatera que habíamos abierto. Me apresó por el brazo y me levantó en vilo. Luego me sentó sobre un fardo de pieles de conejo, tiesas y pestilentes, que olían todas a sangre apelmazada y a sal echada a perder. No recuerdo qué me dijo, pero yo noté un reguero calentito derramándoseme por la entrepierna. No dije nada ni aquel ogro notó nada. Nadie notó nada, pero yo había descubierto lo que era el miedo: una como flojedad, una disolución de la capacidad volitiva, al tiempo que un olor acre y salado a piltrafas en estado de putrefacción.

Un eco de todo aquello, incluidos el hedor de los pellejos y el estridente zumbido del asperón, volvió a resonar en mí quince años después, cuando Rei me propuso organizarme en la Juventud Comunista.

Yo aparenté escuchar su proposición con frialdad e indiferencia, como si todos los días le vinieran a uno con parecidas embajadas. Pero no. Sentí el miedo en lo más profundo de mí y la atracción hacia el peligro. «Ya estoy dentro», me decía, y aunque hubiera querido salir no habría podido. No podía dar un paso, ni en uno ni en otro sentido. Más aún, no habría querido. Pero no sólo fue eso. Al miedo se sumó otro sentimiento no menos contradictorio. Pensé: «Qué lástima que la clandestinidad tenga que ser clandestina. Qué pena que el mundo no pueda conocer mi secreto.» Por un lado el propio secreto me espantaba, pero no dejaba de lamentar por ello que no pudiese uno alardear de él para los más diversos fines: desde provocar la admiración de la humanidad y la historia hasta arrancarle a una admiradora un pequeño «olé». Qué le vamos a hacer. Supongo yo que eso es la juventud: no discernir entre el poder y el querer, entre el mundo y su representación, entre lo que se hace por generosidad y lo que hacemos por vanidad, entre ser hombres y ser gallitos de vistoso plumaje.

Hasta aquel momento, en mi relación con Rei y los otros no había vínculo. Podía decirme, por tanto: «Eres libre.» La propuesta de Rei terminaba con aquella situación y me dejaba, de una manera sacramental, no a merced de mi destino, abolido desde ese momento, sino a merced del suyo y del de los otros. O todos o ninguno era la consigna.

El nombre de Juventud Comunista no era nada

especial. Los había mejores. Pero, ojo, no hay que confundirlo con Juventudes Comunistas, que era una cosa distinta. Es más, nada podía ofender e irritar tanto a un miembro de Juventud Comunista como que lo tomaran por uno de Juventudes Comunistas, y a la inversa. Si alguien podía despreciar a un militante o un simpatizante de la Juventud Comunista era precisamente un militante o un simpatizante de las Juventudes Comunistas. Cosas de la gramática tanto como de la semántica, si se quiere, pero serias, muy serias. Era, como si dijéramos, toda una cosmología, toda una visión del mundo. Los de las Juventudes Comunistas, más ortodoxos, veían el comunismo con unas antiparras graduadas por Lenin, Marx y Engels. Los de la Juventud Comunista también, sólo que aquellas gafas tenían en ellos estas dos patillas: José Stalin y Mao Tsé-tung.

Los de la Juventud Comunista y los de las Juventudes Comunistas a veces se odiaban, a veces se despreciaban, a veces se ignoraban de manera superlativa. En ellos este aborrecimiento, este menosprecio y todas sus indiferencias, eran cosa consustancial y de peso.

Decían los unos de los otros: «revisionistas» y, como un escupitajo, ellos lanzaban un: «chinos».

Los revisionistas se creían más inteligentes, más intelectuales, con una mayor capacidad dialéctica. En las asambleas de facultad o de distrito, la verdad, les liaban a los pobres «chinos» como a ídem, les confundían, hacían que se contradijeran, les llevaban al huerto. En cambio los «chinos», más arrojados y valientes, contaban con la admiración de las mujeres. En las más encendidas soflamas, los «chinos» les retaban: «Basta de hablar. A la calle a ponerse delante de los guardias. No tenéis cojones.» Y así los «revisionistas», que hasta ese momento se habían reído de los «chinos», enmudecían y avergonzados se replegaban a sus casas, porque flojeaban siempre, blandos y clericales, mientras los «chinos» se tiraban a la vía pública a pegar gritos. Los «revisionistas» podían ser más inteligentes, de acuerdo. Pero los «chinos» eran más audaces. Se veía que con el tiempo muchos de aquellos «revisionistas» terminarían de políticos profesionales, de futuros vates de parlamento, elocuentes, ergotistas, cínicos. En cambio, los «chinos» parecían todos soldados de a pie, tropa de las futuras causas perdidas, generosos, ingenuos, esperantistas de la política, ecologistas, pacifistas, palestinistas, saharauianos, carne de manifestación, perros, infelices, chusma.

Mis primeras misiones como simpatizante fueron sencillas. Tenía que verme con Gabriel a solas.

–¿Por qué no hacemos tú y yo esas reuniones? –le pregunté a Rei–. Lo que me tengas que dar, me lo das tú y santas pascuas. ¿Por qué tengo que reunirme con Gabriel?

–No es lo mismo –contestaba Rei–. No hagas preguntas. Eso es la disciplina de partido, el centralismo democrático.

–¿No puedo sugerir nada?

–Desde luego. Pero no servirá.

Gabriel le tomó afición a citarme en un lugar cómodo y accesible. Era un enclave que llamaban La Rubia. Había que tomar un autobús y luego otro, y después seguir todavía andando media hora, hasta dejar atrás las últimas casas de la ciudad, y la civilización, y España.

Lo primero que se veía era una vía muerta que se perdía en el horizonte, con los raíles oxidados y pestilente cenizo creciendo entre las traviesas negras y grasientas del tren. Alrededor no había nada más que yermo, páramo, estepa. En aquel paraje soplaba a todas horas un cierzo áspero y frío, armado de cuchillas. Al lado de la vía, como el punto de fuga del horizonte, se divisaba, diminuta y borrosa, una caseta en ruinas, un apeadero de color ocre. De modo que yo tomaba un autobús, otro, andaba media hora, me ponía en medio de la vía, y, pisando las traviesas de madera, recorría un kilómetro más, hasta llegar a nuestro refugio, nuestro lugar de encuentro, aquel punto en la fuga del horizonte.

Siempre llegaba yo antes. El apeadero por dentro tenía cuatro metros cuadrados de zurullos secos, un enjambre de moscas verdes y metalizadas zumbando sobre las mierdas, y el yeso de las paredes acribillado por inscripciones hechas a punta de navaja, todas de una gran elocuencia, hijas, al fin, de Séneca y Gracián.

Yo esperaba a Gabriel fuera, porque dentro la atmósfera resultaba irrespirable, que parecía un fumadero de opio para vagabundos.

A Gabriel le veía venir de lejos. Venía siempre por el lado contrario de donde yo había venido. Llegaba con las solapas del trescuartos azul marino que no se quitaba nunca levantadas y andares de estevado. Tenía la costumbre de mirar hacia atrás, por si le seguían, metiendo la cabeza entre los hombros también, se conoce que para camuflarla mejor, como un juramentado. Yo me preguntaba: ¿de dónde vendrá Gabriel por ese lado? ¿A dónde se llegará por la vía adelante?

–Gabriel –le acosaba–, ¿qué hay más allá? ¿Siberia?

No le gustaban mis bromas. Despachaba conmigo estrictamente de lo necesario, asuntos siempre de nuestros complots. Lo demás le traía sin cuidado. Sólo le ponía nervioso la posibilidad de ser descubierto.

–Pero aquí –le tranquilizaba–, aquí no hay nadie.

–No estés tan seguro. –Y oteaba el vasto pedregal con ojos de pastor soriano, examinando la lejanía, sospechando emboscadas y asechanzas fatales.

–Me cago en Soria –mascullaba.

Cuando terminaba de inspeccionar el lugar, se metía la mano en las profundidades de su trescuartos y sacaba no sé de dónde un paquete vendado en pesados y descomunales papeles de estraza verdusca, me revelaba dónde tenía que entregarlo, y nos volvíamos andando por la vía.

Con Rei siempre hablaba de todo un poco, algo de cine, un artículo del periódico, de esto, de lo otro. Con Gabriel, imposible. No contestaba. Se quedaba callado. Se levantaba las solapas del tabardo, metía las manos en los bolsillos y la cabeza entre los hombros y nadie era capaz de arrancarle una palabra.

Yo le animaba.

–Descansa un poco. Toma un cigarro.

–No fumo. Tengo que irme. –Y apretaba el paso.

Al llegar a las primeras casas, de vuelta, me abandonaba y desaparecía volviendo cada poco la cabeza hacia atrás, escupiendo un «me cago en Soria» que le provocaba el frío polar o, quién sabe, quizá, mi presencia.

Yo entregaba mi paquete, casi siempre en la calle Simancas, y luego me olvidaba de todo.

En una ocasión le insinué a Rei:

–Tengo que hablar contigo de la propaganda.

–¡Calla! No quiero saber nada –me atajó nervioso–. ¿Es así como cumples las normas de clandestinidad? No me cuentes nada, yo no sé nada, no sé nada. ¿Qué propaganda? ¡Yo no sé nada de ninguna propaganda! Yo estoy al margen de todo.

Habría querido preguntarle a Rei cómo era que Gabriel me citaba a cinco kilómetros de V. para pasarme la propaganda a mí, para que yo a mi vez le dejara la propaganda a él, a Rei, deslizándola por un agujero que había en la pared de detrás del jardín de su casa, si por otra parte seguíamos viéndonos todos en casa de Gabriel una vez por semana y podía pasársela directamente Gabriel a Rei. Pues no. Tuve que resignarme a ignorar por qué era aquello. Aún hoy sigo sin haberlo adivinado.

En las reuniones que teníamos los cuatro, Gaztelu, Gabriel, Rei y yo, estudiábamos las posibilidades que había en todo momento de hacer una huelga. Primero una huelga normal por las tasas académicas o la calidad de la enseñanza, y luego una huelga contagiosa que preparase la definitiva huelga general política, que es a donde queríamos llegar.

–Tenemos que conocer mejor a todo el mundo.

Hay que trabajar con la gente –dictaminó Gabriel–, mezclarse con ella, acostumbrarlos a nosotros. La gente debe vernos como estudiantes modélicos, admirarnos, imitarnos.

Rei y yo no volvimos a ponernos juntos en clase.

Yo comencé por sentarme en la primera fila y en la segunda, con gran perplejidad de sus habituales ocupantes, en su mayoría chicas que me estudiaron con desconfianza, intrigadas por mis intenciones.

En la clase había gente de muchas partes de España. Éramos todos nuevos en la universidad y la mayoría de nosotros nuevos también en aquella ciudad, de manera que estábamos un tanto acobardados y nos mirábamos con timidez.

Había, sobre todo, muchos vascos. Los vascos entonces no tenían universidades que no fueran de los jesuitas o de los curas y venían a V. a estudiar.

Siempre me han gustado los vascos. Me gusta cómo hablan, suprimiendo preposiciones y haciendo una sintaxis astillada y caótica, cómo ponen delante lo que va detrás y detrás lo que tiene que ir delante, y esos condicionales imposibles, pero más razonables que nuestro subjuntivo. Todo eso me gustaba, y lo mismo su acento, que me recuerda siempre la dulzura del acordeón y los desafinos de un chistu.

No sé por qué razón cuando se oye hablar a un catalán la gente se fía poco, seguramente porque es una lengua más propicia que otra para los negocios ventajosos y para contar el dinero. En cambio, cuando uno oye hablar a un vasco tiene la tranquilidad de que lo que le están diciendo es de verdad, porque resulta escueto, duro, elemental, como cortado con hacha. Se dirá que este tipo de apreciaciones generales no conduce a ninguna parte. Estoy de acuerdo. No conducen a ninguna parte, pero todo el mundo tiene derecho a tener estos u otros prejuicios parecidos y la vida sigue sin que pase nada, porque sin prejuicios no habría vida ni personas ni novelas ni nada.

Lola y Celeste eran vascas. Otra manía mía si se quiere. Por ejemplo, las levantinas tienen casi todas los ojos saltones. Basta con haber pasado una mañana en Valencia para constatar este hecho. ¿Por qué razón tienen tendencia a que los párpados contengan a duras penas el abultado globo ocular? No lo sé, pero los tienen. Unos ojos clásicos quizá, verdes, como los de la princesa Nausica de Homero. Unos ojos tiernos, de ternera. Al que le gusten los ojos saltones, bien, pero al que no le gusten, ¿qué? La mayoría de las vascas que he conocido tenían siempre una nariz fina y una cara fina, pero eran anchas de caderas y tenían el culo gordo, como las pantorrillas. Y digo lo mismo que de los ojos. Al que le vayan las caderas anchas, como ancas de yegua, y las pantorrillas gordas, bien, pero a los que no, ¿qué pasa?

Por fortuna ni Lola ni Celeste tenían las caderas anchas ni la cara afilada, quizá porque eran vascas sin serlo. Es decir, habían nacido en Álava, pero de padres que no eran vascos ninguno de los dos.

A mí me parece que eran las más guapas de clase, de modo que empecé mi trabajo por ellas. Me senté primero al lado de Lola.

–Me llamo Lola –me declaró muy simpática– y aquélla es mi hermana. Se llama Celeste.

Lola levantó la mano en el aire para llamar la atención de su hermana.

Las dos hermanas eran muy diferentes una de la otra, pero se llevaban bien. A Lola, la pequeña, le gustaba mucho su nombre, e incluso ella misma, según me confesó, se encontraba cara de Lola cuando se veía en el espejo. En cambio a Celeste no.

Tenían las dos una boca grande y sensual, pero no se parecían en nada más. En todo lo demás eran opuestas, tanto física como moralmente.

Lola era baja y Celeste alta. Lola era morena, con el pelo negro, ondulante, y unas cejas flamencas sobre unos ojos oscuros y prometedores, lo mismo que sus largas y eléctricas pestañas, que insinuaban siempre cosas como «sí», «ven», «otro día».

Celeste no. Celeste era toda un enigma, un silencio, un misterio.

Lola parecía mayor de lo que era. En cambio, Celeste era lo contrario: resultaba más joven, no le gustaba su nombre y era rubia con los ojos verdes, o azules o grises, según. A mí me parecían unos ojos peligrosos y modernistas. No parecían hermanas.

Celeste era un nombre muy raro y se lo dije.

Ella también lo odiaba. Lo encontraba un agravio que le había hecho en la pila bautismal su madrina, que era una tía suya. Esta tía se llamaba Deme y había querido resarcirse de llamarse Demetria, poniéndole a la sobrina Celeste.

En cuanto al carácter tampoco tenían las dos hermanas mucho más en común. Lola tenía un carácter vivo y nervioso. Celeste, por el contrario, era una mujer fría, lo cual no quiere decir que no fuese simpática, que lo era y mucho con todo el mundo. Tenía siempre una sonrisa en los labios y una frase oportuna, atenta y agradable. Pero era fría.

Lola parecía temperamental, apasionada y generosa y, por lo mismo, terreno abonado para los desengaños y las noches en blanco. Lola habría hecho bueno aquello de Pavese de que «la mujer es un hombre de acción». Era, en definitiva, una criatura exterior. Celeste no.

Celeste conocía una vida emocional estable, y mientras a la pequeña se le habían contabilizado dos o tres docenas de amigos a los que ella misma había ido llamando sucesivamente «mi novio», la mayor llevaba esos asuntos en el más absoluto de los secretos.

Yo me hice amigo de las dos el mismo día. Me gustaba mucho cómo hablaban, que en eso sí que eran vascas del todo y muy iguales. Tenían las dos un timbre de voz parecido, cálido y grave, con un deje nasal que yo encontraba voluptuoso. Se las podía confundir por la voz. A veces me llamaba Lola y yo creía que había sido Celeste. Otras veces ocurría al revés. Esto me gustaba mucho, incluso me excitaba imaginarme que era Lola la que me hablaba cuando estaba con Celeste, o era Celeste en la que yo pensaba cuando hablaba con Lola.

Al principio yo no era capaz de sospechar siquiera lo que significaba todo este lío, pero cuando me di cuenta de que lo peor no era eso, pensar en una cuando estaba con la otra, sino pensar en las dos cuando no estaba con ninguna de las dos, entonces fue cuando tuve que reconocer que quizá me hubiera enamorado de las dos.

Mis noches empezaron a poblarse de fantasmas. Me despertaba soñando con una y pronunciando el nombre de la otra, en brazos de Celeste cuando llamaba, en sueños, entre sudores fríos, a Lola.

Había tardado en darme cuenta de mi enamoramiento exactamente veintiún días, los mismos que tarda en incubarse un huevo.

Y viene esto a cuento de lo siguiente. Después de no sé cuántas tentativas infructuosas, conseguí que mi tío me encontrara al fin una colocación como vigilante nocturno en las incubadoras de sus granjas. Justo cuando ya empezaba yo a desconfiar, llegó y me dijo:

–Empiezas mañana a trabajar. Entras a las once y sales a las ocho.

Mi trabajo era cómodo y consistía en comprobar que la temperatura que recibían las bandejas fuese constante. Estas bateas eran grandes y cabía en cada una gran cantidad de huevos.

No tenía nada que hacer en toda la noche más que vigilar la luz de unos cuantos pilotos. Verdes, ámbar, rojos. Todo muy sencillo.

Empecé a trabajar un domingo que llovía a mares.

Pasaba mis guardias en un cuartucho anejo a las incubadoras. Allí no había un camastro, pero sí un desvencijado y cómodo sillón al que se le salían los muelles por los fondos, y un transistor lleno de polvo que me acompañaba muchas horas.

Mi única obligación consistía, pues, en no quedarme dormido. Para mí aquello no resultaba difícil.

Aunque a veces las cosas no son lo que parecen.

No puedo decir que la Universidad española se portara mal conmigo: en el primer trimestre me hizo marxista-leninista (pensamiento [illegible]) y a la vez, un enamorado clásico, es decir, romántico, desesperado, delicado.

Me pasaba las guardias en blanco, pensando en Lola y en Celeste. Las abrazaba en mis fantasías, besaba [illegible] de sus nombres, los gritaba con todas mis fuerzas en mitad de la noche: ¡Lola!, ¡Celeste!, alborotando a las somnolientas gallinas con mis voces de lobo. Me veía a mí con las dos, con Lola y con Celeste, viviendo y durmiendo con ellas, que me aceptaban sin problemas. Me imaginaba un comunismo ideal, un día con una, otro con otra, otro con las dos, sin orden, sin prejuicios, sin fines, con la casa sin hacer todo el día, la cocina llena de cacharros por fregar, ceniceros abarrotados y alguna que otra prenda íntima aquí y allá, por lugares impensados, felices todo el día, pidiéndonos todas las cosas por favor y dándonos las gracias a todas horas.

Pero como ya me daba cuenta de que aquello no

5

No puedo decir que la universidad española se portara mal conmigo: en el primer trimestre me hizo marxista-leninista-pensamiento maotsetung y, a la vez, un enamorado clásico, es decir, romántico, desesperado, doliente.

Me pasaba las guardias en blanco, pensando en Lola y en Celeste. Las abrazaba en mis fantasías, bebía y comía de sus nombres, los gritaba con todas mis fuerzas en mitad de la noche, ¡Lola!, ¡Celeste!, alborotando a las somnolientas gallinas con mis voces de loco. Me veía a mí con las dos, con Lola y con Celeste, viviendo y durmiendo con ellas, que me aceptaban sin problemas. Me imaginaba un comunismo ideal, un día con una, otro con otra, otro con las dos, sin orden, sin prejuicios, sin fines, con la cama sin hacer todo el día, la cocina llena de cacharros por fregar, ceniceros abarrotados y alguna que otra prenda íntima aquí y allá, por lugares impensados, felices todo el día, pidiéndonos todas las cosas por favor y dándonos las gracias a todas horas.

Pero como ya me daba cuenta de que aquello no

podía ser de ninguna de las maneras, decidí que tenía que abordar a una de las dos. ¿A cuál?

Después de dos semanas de trabajo me encontraba al límite de mis fuerzas, porque no dormía. Las noches me las ocupaban miles de embriones y el día lo dedicaba a cultivar mi melancólica tristeza, tan grata.

La granja estaba a las afueras de V., en mitad de unos desmontes que habían dejado de ser campo y no eran todavía solares. Se trataba de un conjunto de naves largas y bajas, ensombrecida cada una por una bombilla de 25 vatios, y tenían un mastín que no guardaba nada, porque ya era viejo y se pasaba el día tirado sobre la gallinaza caliente, durmiendo entre las mantas mal remetidas de su propio pellejo, que le quedaba grande.

El olor del estiércol, que formaba pirámides esparcidas por todas partes, era ácido y repulsivo, y todavía hoy les basta a mis narices detectarlo, por ejemplo, cuando paso en coche junto a algún gallinero, para que se produzcan en mi memoria descargas semejantes a las que a Proust le producía el olor doméstico y envolvente de una magdalena. Es muy cierto que no es lo mismo un montón de basura de gallina que una esponjosa y recién horneada magdalena, pero constato aquí el mecanismo para no tener que dar más explicaciones.

Por las noches las veinte mil gallinas que había allí, cuando no las despertaban mis desgarradoras y enamoradas lamentaciones, metían la cabeza debajo del ala, y los gallineros y las tolvas de pienso, en mitad de la vasta meseta, tenían todo el aspecto de gabarras fondeadas en la desolación y el misterio.

Había un autobús que me dejaba cerca, atravesaba las dunas de una escombrera y, después de otras misteriosas y fantasmales industrias, llegaba a mi destino. Yo encontraba el paisaje desolador, aunque tenía toda la bóveda del cielo para mí solo, cuajada de estrellas hasta el mismo infinito, y eso me confortaba y hacía sentir, en medio de aquella devastación, un romanticismo moderno muy apropiado a mi estado de ánimo, un como si se dijera romanticismo cubista.

En mi trabajo me aburría de oír la radio, de hacer solitarios y de repasar los apuntes de clase. No se sabe bien lo que dan ocho horas de sí en silencio y sin interrupción hasta que no se han pasado.

A veces me dormía, sin querer, y me despertaba a los pocos minutos, sobresaltado, como ese conductor que se duerme sobre el volante.

Un día, a las tres semanas de estar trabajando, hubo un apagón de luz. Por suerte, estaba despierto. Accioné la palanca, como se me ordenó, en el caso «absolutamente remoto» de que aquello ocurriera alguna vez, pero no se encendió piloto ninguno. Probé con otros botones, mientras descargaba patadas al cerebro de las incubadoras y por fin el chivato rojo que tenía que encenderse, después de una lucha cuerpo a cuerpo de diez minutos, se despertó. Veinte minutos más tarde llegó la luz.

A mí me habría gustado que Lola o Celeste me hubieran facilitado las cosas, pero creo que eran ajenas del todo a mis sentimientos. Pensaba en ellas de una manera obsesiva y la sola idea de que yo pudiese alguna vez estrechar entre mis brazos a una de las dos o a las dos, hacía que me olvidara de todos mis tormentos.

Cuando llegué a almorzar, al mediodía siguiente del corte de suministro eléctrico en las granjas, me estaban esperando mi tío Narciso y mi tía sentados en la mesa.

Empezamos a comer en silencio. Sólo se oían los cubiertos en los platos y el ruido de las copas, un fino sortilegio de cristales caros que hacía más inhóspito aquel espacioso comedor.

Nadie decía nada. Por fin mi tío bebió un poco de vino, chasqueó la lengua con suficiencia y abrió la partida que iba a tener lugar:

–¿Pasó ayer algo en las incubadoras?

El primer plato eran alubias blancas estofadas. Recuerdo este detalle absurdo por dos cosas. Por tres. Una, porque me parecía un plato al menos tan inconveniente como la pregunta que se me acababa de hacer. Nunca me han gustado las preguntas retóricas, ni las alubias; dos, porque una de aquellas alubias estuvo a punto de metérseme por los bronquios y ahogarme; y tres porque, como ya he dicho, uno siempre se fija en las cosas más inapropiadas en los momentos de mayor solemnidad, como una detención, un entierro o una ejecución sumarísima. Por ejemplo, la que había dado comienzo en aquel preciso minuto.

–¿Pasó algo? –insistió mi tío Narciso dejando por sentado que su paciencia tenía un límite.

–No, ¿por qué?

–¿Tienes todavía la caradura de asegurar que no pasó nada? ¿Sabes lo que has hecho?

Se me había quedado la boca medio abierta y las gafas se fueron deslizando por el caballete de la nariz hasta quedárseme en la punta.

Yo nunca había visto a mi tío enfadado y la novedad del espectáculo casi me distraía del argumento del mismo, si no fuera porque una vena del cuello estaba a punto de estallarle y también otra justo en la sien.

–¿Sabes lo que has hecho? –tronó desde la cima de su ira.

Después de aquello no me atreví siquiera a sostenerle la mirada y me dediqué a contar las alubias que aún flotaban náufragas en un caldo proceloso.

–¡Di algo, por lo menos! –Y en esta ocasión descargó en la mesa un puñetazo que mandó por los aires las treinta o cuarenta piezas de cubertería y cristalería, y se oyó un tintineo musical muy juguetón e indiscreto.

Se veía que eran hermanos en aquel puñetazo. Los dos, mi padre y mi tío, los daban de la misma manera. Primero levantaban el puño crispado por encima de la cabeza y sólo entonces, cuando estaba en lo más alto, lo descargaban con toda la fuerza sobre la mesa. Los dos lo mismo.

–¡Te has cepillado doce mil huevos! ¡Doce mil huevos y las incubadoras! ¡Medio millón a la basura!

El bis del puñetazo que lanzó cubertería y cristalería al espacio, arrojó mis gafas al plato.

No sé cómo había ocurrido, pero según mi tío yo había, primero, achicharrado toda la pollada, para, acto seguido, someterla a unas temperaturas árticas.

–No puede ser –insinué con timidez.

Decir eso fue acaso peor, porque durante cinco minutos mi tío Narciso no hizo más que repetirme lo de los doce mil huevos. Era evidente que mi tío había perdido ya los estribos, dejó de hablar de pollos y empezó a hacerlo de la juventud y su irresponsabilidad en el trabajo. Gritaba y pedía a voces al único que aún seguía vivo de aquellos dos retratos de plata de la consola que metiera en cintura a la juventud. Gritó que había que tratarnos a la baqueta, único lenguaje que entendíamos, y que íbamos derechos a un régimen comunista, donde no había ninguna alegría en el trabajo ni propiedad privada, como él mismo había podido comprobar en uno de sus viajes por la república de Georgia. Y sin transición en aquel modelo de pieza oratoria, pasó a referirse a Rusia y a las granjas rusas, cosa que hizo con sorna, acordándose él de las pobres gallinas soviéticas que le parecían todas, sin remisión, huérfanas y mal atendidas, como tristes, dijo, y comidas por catarros y piojillo, en la Rusia que tanto nos gustaba, donde estaba demostrado que las pollitas ponedoras tenían una puesta inferior a los países occidentales y los Estados Unidos en un 9,22 %. Un 9,22 % según el último boletín de las cámaras de comercio.

Me avergüenza confesar, después de veinte años, que la única responsabilidad en el genocidio de aquella volatería nonata fue mía, y me avergüenza haberlo negado. Pero yo creo que tengo una disculpa. Cuando uno es joven resulta muy difícil saber decir sí y no, y lo corriente es que uno se equivoque y diga sí cuando es no y al revés, y también que diga sí o no no tanto por convicción o por atención a la verdad, como para afirmarse uno, pues nada cimenta tanto a esa edad como un sí frente a muchos noes y un no frente a muchos síes. En aquel momento el sí de mi tío, por la potencia y la insultante posición de poder desde donde lo defendía, valía por mil. Yo no tenía otra respuesta que la que le arrojé a la cara, como un guante.

–No, no y mil veces no. Yo no he sido.

¿Qué podía hacer yo, además? Por otra parte sólo eran doce mil abortos, y ¿qué son doce mil abortos de pollo en el universo mundo, pensándolo fríamente?

No eran de esa opinión ni mi tío Narciso ni mi tía María Eugenia. Lo de mi tío era lógico, pero mi tía podía haber actuado de otra manera, que en vez de acudir en mi ayuda durante aquel temporal, no hizo más que echar leña al fuego. «Por supuesto», apostillaba, «claro que sí, Narciso», «pues vamos» o respiraba hondo y el escote se le estremecía jadeante.

A mi tía desde el principio le había hecho poca gracia que el hijo del hermano de su marido, o sea, yo, se hubiera instalado en su casa. Miraba con repugnancia mis pantalones vaqueros, mis camisas, mis zapatos, mi pelo, mi maquinilla de afeitar en el cuarto de baño... Me encontraba poco a tono con lo que eran ella y su familia, los famosos García Olaso, de Bilbao, que anulaban y ensombrecían a cualquier Benavente, incluido su marido, y, por descontado, a cualquier De Juan.

La situación la habían hecho insostenible.

–Me voy de esta casa –manifesté con la arrogancia de un monarca que abdica de la corona.

Ni mi tío ni mi tía se movieron de sus asientos al verme salir del comedor, derecho como un huso.

Quizás hubieran ellos provocado aquella salida. Quién sabe. Reconozco, sin embargo, que antes de abandonar la estancia, aquella magnífica aristocracia mía se echó a rodar, pues vuelto a ellos les grité con los puños cerrados:

–Me importas tú y tus huevos una...

En ese momento mi tía ensayó un desvanecimiento y mi tío, con la disculpa de atenderla a ella, que se había desmadejado sobre un butacón, sacudida por un ataque de histerismo, quedó excusado de levantarse y retarme a duelo.

Esa misma tarde metí en la maleta mis Engels, mis Pulitzer y todos cuantos tesoros habían ido enriqueciéndome la impedimenta, salí a la calle y me alejé para siempre de aquel escenario inolvidable.

Desde una cabina telefoneé a Rei. Yo contaba con alojarme en su casa las primeras noches.

Después de arrastrar la maleta por toda la calle Canteros arriba, recorrer entera la de Ventura y atajar por la de Mateos Berrueta, en la plaza del Ángel me metí en una cafetería.

La cafetería era uno de esos establecimientos espúreos que abundaban en V. Había sido antes, y durante cien años, uno de los dos cafés principales de la ciudad. Tradicional, respetable, concurrido, lleno de columnas de hierro fundido y veladores de mármol, divanes rojos y un alto mostrador de cinc donde se erguían los caños de la cerveza de barril con la arrogancia de dos cobras encantadas. Uno de esos viejos cafés con los suelos de madera y ventiladores de aspas, lentas y filosóficas, colgados del techo. Así al menos es como se veía en una fotografía ampliada, enmarcada y colgada en la pared. Sin embargo de aquel viejo café no quedaba nada, si descontamos aquel amarillento daguerrotipo. Tras el mostrador podían admirarse unas docenas de los baratos venenos que en V. pasaban por ginebra, coñac, anís o whisky. El resto lo habían llenado de mamparas de cristal esmerilado color ámbar, habían forrado las columnas de hierro con escayola y habían sembrado el local de taburetes de *skay* desmesuradamente altos. A esta operación habían tenido el candor de llamarla reforma, como se señalaba en el nombre de la cafetería: Nuevo Café Central.

Cuando llevaba yo una hora allí, intentando inútilmente comunicar con Rei cada veinte minutos, entró en la cafetería una mujer bastante mayor, como de unos cuarenta años, que se sentó en la mesa de al lado. Tenía el pelo liso y de color mazorca, algunas pecas sobre la nariz pequeña, fina e intachable, y llevaba un bolso de piel de cocodrilo.

Pidió un café y al poco rato sacó del bolso una pitillera muy bonita que parecía de oro, y de la pitillera un cigarrillo. Sólo al ir a encenderlo se encontró con que el mechero se resistía a darle fuego, y lo dejó sobre la mesa. Luego consultó su reloj y miró hacia la puerta. Parecía esperar a alguien. Después buscó ayuda con los ojos, tropezó con la modesta caja de cerillas que estaba junto a un maltrecho paquete de Celtas cortos, que es lo que yo fumaba entonces, y se quedó indecisa.

–¿Puedo, por favor? –me preguntó distraída, al tiempo que me mostraba su cigarrillo apagado.

Yo mismo encendí la cerilla.

Al aproximarme a ella, pude observarla mejor.

Olía toda ella a un perfume primaveral y campestre, mezcla de corteza de limón y almendras amargas.

Le trajeron su café, terminó su cigarrillo y a los diez minutos quiso encender otro. Volvió a repetirse la escena, yo volví a acercarme a ella y pude aspirar, una vez más, aquel frágil e insondable perfume que me franqueaba galerías desconocidas por mí hasta ese momento.

–Perdona –se disculpó, y señalando su lujoso y pesado encendedor de oro, añadió–: Me he quedado sin gas.

–Nos pasa a todos más o menos lo mismo.

–¿Qué?

–Nada. Una frase.

Luego se fijó en mi maleta, que yo había dejado a un lado, y quiso mostrarse afable:

–¿Te vas de viaje?

No supe qué responder y formuló la pregunta de otra manera:

–¿Has venido a estudiar a V.?

Ésa fue la primera vez que nos miramos a los ojos. Su belleza me hizo sonrojar. Su belleza, lo tenue y persuasivo de su perfume, el brillo del pelo, los pliegues de un pañuelo de seda que se anudaba en el cuello... No sé por qué me acordé de Rei. La verdad es que me acordé primero de *El graduado*, que fue una película que a mí me había impresionado por entonces mucho, con todo aquel morbo de una mujer mayor que se lo hacía con uno muy joven, y las medias cayéndole enrolladas por entre las piernas y los primeros besos... Ese recuerdo duró un segundo. Luego se me vino a la memoria Rei, porque también yo, como él, tartamudeé, sin darme cuenta.

–Perdona –me dijo de una manera que daba por terminada aquella conversación.

–No... Bueno, sí –acerté a decir yo.

[illegible]

El [illegible] comenzar [illegible] buenas [illegible]
[illegible] para sostener [illegible] de la bella desconocida. Hablaba [illegible] pueda parecer [illegible] no, pero ha
[illegible] pocas veces [illegible] con
[illegible] lo que [illegible] alguno.

Me había [illegible] para [illegible] a
Rot. Le dedica la [illegible] y pasado
por [illegible] ahora qu
[illegible] empezado a [illegible] El Nuevo
Café Central junto a dos [illegible] en una de las cuales había [illegible] en la otra
unos [illegible] de [illegible]

Ninguna de las tres [illegible] de teléfono
[illegible] me pregunté
[illegible]

Después de [illegible] hora de conversación, se
presentó:

—Me llamo Dolly.

Yo le pregunté qué nombre era ése y me aclaró
que se llamaba Paloma, pero que todos la llamaban
Dolly desde que era pequeña y que ella prefería Dolly a Paloma. Me acordé de [illegible] y de que, si uno

6

Un cigarrillo trajo otro cigarrillo y terminé por dejar mi mesa para sentarme en la de la bella desconocida. El tabaco puede parecer que no, pero ha encauzado no pocas vidas y no pocas novelas, contra lo que piensan algunos.

Me había levantado tres veces para telefonear a Rei. Le decía a la desconocida: «Perdona», pasaba por detrás de su silla y me metía en una cabinita que tenían emplazada al final de un pasillo del Nuevo Café Central junto a dos puertas, en una de las cuales había pintado un sombrero de copa y en la otra unos zapatos de tacón.

Ninguna de las tres veces, al volver de telefonear, la quebradiza mujer del cabello rubio me preguntó nada.

Después de otro buen rato de conversación, se presentó:

–Me llamo Dolly.

Yo le pregunté qué nombre era ése y me aclaró que se llamaba Paloma, pero que todos la llamaban Dolly desde que era pequeña y que ella prefería Dolly a Paloma. Me acordé de Celeste y de que, si uno se fija bien, la vida está llena de nombres raros que o no gustan a quienes los llevan o extrañan a quien los oye.

Yo le dije que me llamaba Martín. A ella, en cambio, sí le gustaba mi nombre y entonces yo le manifesté que a mí ni sí ni no, y que el suyo me parecía bonito, un poco extranjero, pero que sonaba bien, aunque al principio me había extrañado.

También ella estaba esperando a alguien, pero no le importaba haber equivocado el lugar de la cita, o que la otra persona que esperaba no hubiese acudido a ella, porque, me confesó, se encontraba muy a gusto charlando conmigo.

Seguimos hablando, fumando y bebiendo. Después del café pidió su primer gin tonic y yo el segundo anís, que entonces me gustaba mucho.

Cuando empezaba a anochecer, la interrumpí:

–Es hora de pensar en irse.

–¿No estás esperando a nadie? –me dijo algo intrigada.

–No exactamente. Me he pasado la tarde llamando a un amigo. Me he ido del colegio mayor hoy mismo e intento localizarle.

–¿Por qué has dejado el colegio mayor?

–No podía soportar el olor. Olía todo el colegio a repollo cocido.

–¿Sólo por eso?

–No –seguí mintiendo–. Quisieron gastarme una novatada.

–¿Qué novatada?

–No me atrevo a contártela.

–No voy a escandalizarme.

–No.

–¿Y lo consiguieron?

–En absoluto. Por eso me he ido.

Dolly se quedó mirándome en silencio. Era evidente que me observaba como se observa a alguien antes de haber dictado sobre él el juicio que nos lo hará, y por lo general con carácter definitivo, simpático o antipático, agradable o repulsivo, inteligente o necio. Se encontraba en ese preciso momento de las valoraciones generales, de las impresiones a primera vista, tan determinantes y terminantes, tan injustas a veces, tan certeras otras. En un segundo me hice no sé qué vanas ilusiones o se las hizo el anís que llevaba en el cuerpo, y aunque sólo fuera en un eco lejano, por mis venas corrió la espumosa emoción que deben sentir los hombres a quienes las mujeres admiran por la fuerza y la armonía de sus músculos, por el nervio de su inteligencia o por el temple del alma.

–¿Y no conoces a nadie más aquí que a ese amigo tuyo?

–No.

–¿De dónde eres?

–De ***.

–¿Has hablado ya con tus padres?

–Todavía no. No me atrevo. Se lo contaré mañana o pasado.

–Haz una cosa –me sugirió–. Si quieres, puedes venir a mi casa esta noche.

Aquel ofrecimiento me cogió tan por sorpresa que esta vez dije sí, aunque con el secreto convencimiento de que tenía que haber dicho no. Ni siquiera cuando añadió «no tienes por qué decir no», me tranquilicé. Menos aún. Pensé que era su buena educación la que le había hecho formular una invitación tan oportuna, de la misma manera que sabía que en mi buena educación estaba el rechazarla. Pero no. Dije sí y tuve entonces la certeza de que al aceptar su sugerencia empezaba a correr un maratón por el final, con un *sprint* a la desesperada.

Dolly vivía detrás de la plaza del Ángel, entre la calle San Marcos y la de Justino López, en el paseo de la Rosaleda.

Era una casa de los años sesenta, con portal de mármol rosa y una pequeña araña de cristales de bisutería y musicales destellos, muy acorde con lo que en España se entendía por lujo. Había allí también un tresillo de piel y un cuadro con al menos cincuenta caballeros ingleses perfectamente montados y equipados que perseguían a seis o siete zorros que pegaban brincos por todas partes, con sus jaurías de *beagles* y demás. El portero, uniformado de azul, en cuanto vio entrar a Dolly, se levantó como un cohete y saludó dando una cabezada: «Buenas noches, señorita», al tiempo que se precipitaba sobre mi maleta.

–No es necesario –le atajé yo, aunque no me parece que apreciara el matiz solidario de mi negativa.

El piso de Dolly estaba vacío, con pocos muebles, sin alfombras, sin cortinas.

–Vivo aquí desde hace un mes. Tú dormirás en este cuarto.

Donde yo iba a dormir era una habitación con una cama, una mesilla de noche y un colchón sin estrenar al que nadie había quitado todavía los envoltorios de plástico. Salvo un admirable bargueño de carey y un espejo veneciano, los pocos muebles que había en la casa eran ostensiblemente modernos, como recién desembarcados de Finlandia.

–Te apetecerá cenar –se adelantó a decirme–. Antes me daré un baño.

Oí cómo Dolly abría los grifos de un baño que estaba junto a su dormitorio. Sonó el chorro como una catarata y sólo por la fuerza con que salía el agua caliente confirmé que me encontraba en una buena casa.

Para cenar, Dolly se cambió de vestido. Estaba muy guapa y ahora olía mucho más intensamente que antes a limón y a almendras amargas. Se había puesto un vestido negro, con un gran escote que le dejaba más de media espalda desnuda. Tenía los hombros espolvoreados también con un puñado de pecas color canela y la piel muy blanca, y, a poco que movía los brazos, se le marcaban los omóplatos, porque era más bien delgada, aunque luego tuviera curvas.

Lo primero que conjeturé, al verla vestida así, con toda la espalda al aire, fue si llevaba o no sujetador, pues no se le veía ni se notaba el broche ni tampoco los tirantes. Y aquel pensamiento me pareció impropio y calamitoso. No debía haberlo tenido, pero lo tuve. Por otra parte, pensé, ¿qué me iba a mí el que Dolly llevara o no puesto un sujetador? ¿Cambiaba algo las cosas? ¿No? Pues, ¿por qué pensar cosas que no son o que si son más vale ni pensarlas? Pues no. Dolly se dio la vuelta, vi su espalda y me dije: «No lleva sujetador», y luego pensé, «sí, sí lo lleva». Y cuento todo esto no por frivolidad. En aquellos primeros minutos que pasaba en una casa para mí desconocida, yo buscaba algo, pequeños indicios, insignificantes alteraciones, de la misma manera que hacen los augures escudriñando las vísceras de sus víctimas, aunque no se me escapaba tampoco que la víctima bien pudiera ser yo y no ella. El caso es que, como los adivinos, también yo perseguía el conocimiento del tiempo futuro en las más breves palpitaciones de la realidad, aunque en mi caso la cosa era más bien modesta, pues futuro para mí no eran sino las dos o tres horas siguientes, y aquello, más que en la de realidad, entraba en la categoría de los sueños, ensueños o arrebatos de la fantasía.

Cenamos, también me acuerdo de eso, cangrejos rusos de lata, y algo más, también de lata, de lo que ya no me acuerdo, y luego Dolly me llevó al cuarto de estar, que no tenía más que una mesita baja de líneas aerodinámicas, de tubos cromados y un cristal encima. Era una habitación de grandes proporciones y con los techos altos, lo que era ya infrecuente en casas de esos años. A uno y otro lado de la mesa se encontraban dos butacones de piel gris en los que era difícil sentarse, pero de los que era más difícil todavía levantarse, también modernos y nuevos. Todo eso y el que apenas hubiera otros muebles que ésos, sobre un parqué impecable y sin alfombras, así como la carencia absoluta de cuadros y adornos, hacía de aquel salón un escenario despejado, que parecía todo dispuesto para empezar a rodar una película de arte y ensayo, con el gran ventanal que ocupaba toda una pared y el brillo de los cromados de la mesa.

Dolly trajo una botella de champán de la nevera y dos copas, me tendió la botella para que la abriera yo y me sonrió con los ojos:

–¿Por qué quieres que brindemos?

Me encogí de hombros y correspondí a la suya con una sonrisa que quiso ser seductora, hasta donde yo sabía. Así que no brindamos por nada en concreto, por el misterio de dos sonrisas.

Su voz adquirió un extraño timbre entre las paredes desnudas que olían todavía a pintura fresca.

Se trataba de la primera botella de champán que yo descorchaba con una mujer. Hasta entonces sólo le había quitado el tapón a las que se bebían en casa, en Navidades, con toda la familia. No era lo mismo.

Me daba vueltas la cabeza. Durante la cena nos habíamos reído. Cualquier cosa desataba nuestras risas. Nos reímos de todo con la vehemencia del que precisa olvidar algo de lo que ni siquiera se acuerda, con el apetito del que no quiere olvidar ni por un segundo lo agradable que es la vida cuando se presenta con un rostro así.

–Apenas has bebido –me tranquilizó Dolly.

No era verdad.

Luego nos acercamos los dos a aquel espectacular mirador y aplastamos las narices contra el cristal, pero no se veía gran cosa. Estaba todo oscuro. Dejamos de reír. Se veían luces de casas a la otra parte del río que se reflejaban en el agua, y las masas sombrías de los árboles que había en una y otra orilla. Nada más.

–De día –me informó Dolly–, hay una vista muy bonita del río y del puente. Se ven las barcas y se ve, a lo lejos, el campo, y este cuarto se llena de sol desde las doce hasta que se pone.

Pero de noche no se veía nada. Nos quedamos

los dos de pie, uno al lado del otro, sin decirnos una palabra, cada uno con su copa de champán en la mano.

Tal vez cada uno pensara para sí mismo que había sido una equivocación haber llegado hasta allí. Frente a nosotros teníamos ese tupido paisaje. Colgaba de la noche como de un telar sin estrellas. Nos separaba de él el cristal de la terraza, nosotros mismos reflejados en ese cristal, reflejados en la noche, y un silencio más profundo aún que todo aquel mundo sin límites.

Sin pensar muy bien en lo que hacía, pasé tímidamente mi brazo por su hombro. En ese preciso momento me dije, cuando ya era tarde, cuando ya notaba en mi mano la desnudez de su espalda: «Lo has echado todo a perder.» Pero no. Dolly no se movió ni dijo nada y dejó que yo la acariciara. Sólo pasaba el índice por el borde de su copa, dándole vueltas, ausente quizás, insondable como aquellos ceros que describía su dedo sobre el filo de cristal, del que arrancaba un sordo maullido.

Me latía el corazón con estrépito y el misterio de la alegría y el laberinto de la excitación se apoderaron de mí. Quise pensar, pero no pude, y para la acción estaba paralizado. A todo lo más que llegaba era a unas inconexas impresiones: «¡Qué piel tan suave!» «¿Qué voy a hacer ahora?» «Tendré que terminar lo que he empezado» «¿Sabré?» Con la fugacidad de un cometa, me cruzó la frente el recuerdo de Celeste. O el de Lola, y como un cometa se hundió en la infinitud de la noche, sin dejar rastro de sí. Me encontraba por primera vez en el umbral de aquello en lo que tantas veces había soñado, y estaba indeciso, sin saber muy bien qué estaba haciendo allí e ignorando, nervioso, cómo y en qué acabaría aquella noche.

Dolly se acercó más a mí y reclinó su cabeza en mi pecho. Tampoco esta vez dijo nada. Era como si buscara cobijarse debajo de mi brazo, después de que un pequeño temblor delatara que la fría mano de la melancolía se había posado en sus hombros desnudos. Pero siguió en silencio. Frente a nosotros el río, una pura abstracción de imprecisas fronteras, estaba detenido en sus negros metafísicos e insondables, y tuve la impresión de que un sentimiento muy parecido a la tristeza se había apoderado de los dos. Es cierto que en ninguno había desaparecido esa vaga expresión de felicidad, pero nuestras sonrisas reflejadas en el cristal venían a ser ya la confirmación de su fracaso.

–Dolly...

–¿Sí?

Mi mano presionó, tan experimentada y dulcemente como supo, un poco más su brazo.

–Ven –dijo Dolly, volviéndose hacia mí.

Sus ojos eran verdes, como esos lagos de otoño en los que caen las hojas y el agua se pudre lentamente. El brillo que tenían estaba matizado quizá por la timidez, quizá, como me pasaba a mí, por cierto desaliento, esas nubes pasajeras que a veces pueden tapar el sol.

–¿Sabes? –continuó–. Me gustas mucho. Me gustaste desde que te vi. Me gusta que no me hayas hecho preguntas, que no hayas querido saber por qué te invitaba a mi casa. Que no tengas curiosidad por saber nada de mí. Ven conmigo.

A mí también me gustaba ella. Cuanto más la miraba, más me gustaba. Tendría que habérselo dicho, pero no supe o no encontré la forma de hacerlo.

Suavemente rodeó mi cuello con sus brazos. Eran unos brazos delgados y tenía unas muñecas frágiles y finas, que la pulsera del reloj le estaba holgada. Me rodeó con ellos y dejó en mis labios un largo beso, que ella llenó de vida y de voluptuosidad. Sus labios estaban fríos del champán. Al separarlos de los míos, sopló en ellos como si en vez de besarme hubiera querido separar dos hojas de un libro...

–Dolly, tengo que confesarte una cosa...

Las yemas de sus dedos sellaron mi boca. Una sonrisa melancólica quiso terminar mi frase.

–No digas nada.

Me atrajo hacia sí con suavidad, nos sentamos en el suelo, más cómodo que los sillones, y dejamos las copas sobre el dorado parqué.

Mientras nos besábamos de nuevo con besos que me admiraban tanto como me encendían, quise decir algo, pero sus labios me lo impidieron una y otra vez. Es más, antes de que pudiera yo confesarle nada, ella fue capaz de hacerme esta pregunta brutal:

–¿Tienes preservativos?

Veinte años después de que me la formulara no me parece, ni mucho menos, brutal, habida cuenta de que además me hizo esa pregunta como en un susurro de voz, en un tono mate y sin relieves, como si hubiera querido decir únicamente, «¿quieres un vaso de agua?», temiendo tal vez que con aquella pregunta suya fuera a ir más lejos de donde yo había previsto llegar o quería llegar, o también tratando de evitar que me pareciera una pregunta brutal, como me lo pareció.

No, no los tenía. ¿Para qué los había yo necesitado hasta ese momento?

PRIMER INTERLUDIO

LA CIUDAD

Desde un punto de vista radical, V. era una ciudad innecesaria. Podría haber desaparecido del mapa y su falta, estoy seguro de ello, no se habría notado hasta pasados cinco o seis años, hasta que alguien, distraído, preguntara: «¿Cómo seguirá V.?», igual que nos interesamos por alguien remotamente conocido, del que decimos: «¿Mengano..., murió o sigue vivo?»

V. debió de tener una época en la que como ciudad valiera algo, quizá trescientos o cuatrocientos años antes de haberla conocido yo. Puede que cuando era capital del reino, con sus intrigas de capa y espada, sus conventos viejos y el sonar de las campanas entre el profundo y desesperado chillar de las cornejas.

Cuando yo me instalé en ella, a V. no le quedaba siquiera un rincón que le hiciese olvidar a uno el resto, aquel monstruo en que la habían convertido.

A lo sumo dos o tres cortas y corvas calles, media plaza aquí y media plaza un poco más allá, la torre de una iglesia y tres rejas en un caserón antiguo, una fachada y un museo lleno de tallas viejas con

Cristos sanguinolentos que causaban sensación. Y esto por salvar algo. Era lo que obstinadamente llamaban los folletos turísticos «parte histórica», la ilusión de haber sido un día el centro de la cristiandad y unos metros de callejuelas soportaladas y remendadas por todas partes. Esto último era lo único de la ciudad que sus habitantes odiaban sin desaliento.

Cada mañana se publicaba en los dos periódicos locales media docena de fórmulas nuevas para demoler el centro a bajo costo en un tiempo prudencial de dos o tres semanas. Mientras se aprobaba un plan general, cada mes tiraban alguno de aquellos viejos caserones y lo sustituían por una caja de zapatos forrada de mármol y ventanas de aluminio con los cristales verdes. A eso se le proporcionó incluso un nombre. En cualquier libro sobre la época puede leerse. Unos lo llamaron «el desarrollo», aunque otros prefieren seguir refiriéndose a ello como a «los mejores años de nuestra vida».

A pesar del odio que los v. manifestaban por esa parte vieja, estaba siempre muy concurrida. No tenían más remedio. En esos levíticos soportales se encontraba un gran número de los comercios de V. Eran casi todos tiendas de electrodomésticos, lencerías, pastelerías con unos pasteles secos del tamaño de los adoquines en el escaparate, zapatillerías, un bazar de lámparas y bibelots en imitación de ámbar o de jade, según gustos. Casi juntas había también dos ortopedias, una más moderna y otra más antigua. La moderna, que recordaba un botiquín aséptico, y la más vieja con un mapa del cuerpo humano despellejado la mitad sí y la mitad no, que le recordaba a uno, sin escapatoria, la fugacidad de todo goce corporal.

La gente paseaba estas tres o cuatro calles a todas horas del día, sin poder despintar de sus caras la repugnancia que les producía quién sabe si la imposición de aquel *sic transit gloria mundi* de la ortopedia, quién sabe si aquel barrio de encastillada y modesta belleza, polvorienta y desportillada.

En cambio, de lo que los habitantes de V. se mostraban orgullosos era de sus múltiples polígonos industriales. Para los v. su ciudad era, en ese aspecto, modelo envidiable que deberían imitar otras urbes, y les costaba creer que nadie por gusto viviera lejos de aquel desarrollo. Si alguien hubiera manifestado su interés o su predilección por los viejos soportales, por aquellos comercios y escaparates de escogido y selecto género cosmopolita, si alguien, digo, hubiera defendido la parte vieja de V. como réplica modesta de los luminosos pasajes baudelairianos, en V. le habrían tomado por loco.

Detrás de los soportales existía, atrincherado entre compactos bloques de viviendas construidos con ladrillos vistos, un mercado de ésos a medio camino entre la estación de ferrocarril y una catedral del 900. Yo llegué a conocerlo. A pesar de que lo habían pintado de gris naval, no era feo, ni mucho menos. Eran muy apropiados todos los adornos que tenía, los lirios, aspidistras, papiros y demás flora modernista, pero lo demolieron con gran entusiasmo de la población, que recibió con aclamaciones el aparcamiento subterráneo y la plaza con toboganes y columpios de color butano que le sustituyeron.

Luego también, metido en los mismos soportales, dando a la plaza Mayor, conservaba V. un gran café, éste, sí, con mejor suerte que el Nuevo Café Central, *pendant* histórico de aquél, aunque le duró poco la suerte, porque en su lugar terminaron poniendo un banco.

Era el último gran café de V., con su puerta giratoria y sus pesadas y grasientas cortinas forradas de gutapercha roja defendiéndola, para evitar que entrara el frío tanto como para impedir que saliera aquel espeso y sustancioso olor a cerrado.

Podían caber sentados en él un ciento largo de clientes, y sus techos se veía que siempre habían sido demasiado altos para un pueblo como V., sin contar, naturalmente, con la sala anexa del billar y el más pacífico y silencioso rincón de los jugadores de ajedrez.

De aquellos techos, patinados por el humo de los cigarros, colgaban siete u ocho ventiladores, verdaderos dioses del establecimiento. Extendían sobre las cabezas de la parroquia sus aspas eternamente inmóviles y, al contrario que el reloj de la estación, que parecía parado estando en funcionamiento, los ventiladores eran el ejemplo vivo de lo que podíamos entender por inmanencia de la divinidad, puesto que siendo dioses estaban destinados a la acción, si bien habían elegido el inquietante quietismo, primero porque todos se habían ido paulatinamente estropeando desde 1920 y, segundo, por la tacañería de su dueño que se negaba a repararlos, y todo ello sin privar al local de la ilusión de que en un caso de apuro podían por milagro volver a funcionar, librándole al café de los humos del invierno y los calores del verano.

En sus veladores de mármol pasaba las tardes un montón de reliquias. Eran personas asiduas que tomaban en pequeños y estudiados sorbos su café con leche en vaso de cristal, o gentes de los pueblos vecinos.

Las paredes lucían también un color café con leche y tenían unas pinturas al fresco, realizadas con betún de judea y purpurina, representando el descubrimiento de América: Colón con la espada en una mano y un pendón en la otra y muchos indios cabezones y de culo supino, mediotapado por las plumas. De las pinturas se podría decir lo que de las de Josep Maria Sert dijo d'Ors: estaban pintadas con oro y mierda. Por lo demás el café era acogedor y conservaba su carácter. Como las ruinas se tapan de hiedra, aquel café parecía cubierto de todas las palabras, rumores, discusiones, tertulias y declaraciones de amor de los últimos cien años de la ciudad, si bien cada día que pasaba iban a él menos enamorados y menos contertulios y polemistas, es decir, menos desenamorados.

Permanecía casi todo el tiempo vacío y entraba mucha luz por los ventanales, un sol entumecido en invierno, que no servía para calentar, e implacable en verano, que no podía uno permanecer cerca de él sin riesgo, pero en cuyos rayos flotaban azules las volutas del humo de tabaco y el millón de átomos de polvo que desalojaban las tapicerías. Este café, como el otro, también tenía un nombre agudo, Nacional o Universal. Ya ni me acuerdo.

A pesar de que todas las revoluciones se han hecho en los cafés, a los militantes de la Juventud se les tenía prohibida su entrada en él, porque se lo consideraba demasiado expuesto a la curiosidad de la gente y a la observación de los policías, que tenían la comisaría veinte metros más abajo.

Un día, Tejero llamó a capítulo a un camarada, que era nuevo y se llamaba Gregorio, y le amonestó: «Te han visto ayer hablar con unos trotskistas en el Nacional (¿o acaso era Universal?). Ahí no está la clase obrera, sino la pequeña burguesía reaccionaria y los revolucionarios de pacotilla, de manera que eso se acabó.»

Es decir, aquel Nacional o Universal era nuestro árbol del bien y del mal, nuestro árbol de la ciencia al que no podía uno acercarse sin arriesgar el Paraíso.

Hasta las nueve de la noche aquel café era un local como otro cualquiera, con público transeúnte, de paso, jubilados, militares de poca graduación y policías de paisano o guardias de la porra, que venían a veces a encargar cafés con leche y bocadillos para sus compañeros o para los detenidos, y que al entrar se quitaban solícitos y educados la gorra gris de plato y la dejaban con mimo sobre la barra, a un lado.

A partir de las nueve, sin embargo, el aspecto del café era bien distinto. A esa hora empezaba a llenarse de conspiradores, artistas, estudiantes golfos y viejos y viejas noctámbulos o insomnes.

Iban también casi todas las noches algunos actores. Éstos eran como los que salen en los libros, igual que los ha descrito todo el mundo, mal vestidos, sin dinero, sucios, deslenguados, trasnochadores e ingeniosos. Los cómicos de V., que ya no tenía ningún teatro porque los habían convertido todos en cines, eran la mayoría, con las carreras a medio terminar, medio universitarios, medio profesionales, medio nada. Tenían además la particularidad de trabajar únicamente una vez cada dos o tres años. Eso les permitía seguir llamándose universitarios, seguir llamándose actores y seguir creyéndose independientes. Lo que es la bohemia. Lo de siempre.

Todos hemos oído que la gente del teatro suele, desde los tiempos de la Comedia del Arte, cultivar unas costumbres licenciosas y ser partidarios del amor libre. En otras ciudades, puede. En V., no tenía pinta. Tal vez ellos estuvieran dispuestos a ser libertinos, pero ni la ciudad ni el clima ni su temperamento les permitía otra cosa que formar aquellas peñas donde le daban vueltas y más vueltas a la mayonesa cortada de unos estrenos fabulosos que planeaban montar o de las giras que jamás habían hecho o del reconocimiento final de su talento, que terminaría descubriendo cualquier día un Orson Welles en alguno de sus viajes de paso por V. Lo mismo: la bohemia, nada.

Quitando, en fin, los soportales, aquel café, las cuatro viejas calles y un gran parque que había enfrente de Capitanía, con un reloj en el suelo hecho de flores, muy suizo, y un charco artificial donde nadaban cuatro patos con el ala caída, quitando esto, digo, no había nada en aquella ciudad machacada que era V., que justificara ni uno solo de los adjetivos de aquellos famosos folletos turísticos. Nada, salvo el río, el caudaloso y ancho río de V. Eso eran palabras mayores.

Era un río que tenía todo lo que un río serio debe tener: caudal profundo, curvas y una vasta leyenda de gente que se ahogaba todos los años en sus aguas, unos por accidente y otros porque se suicidaban, cosa bastante razonable teniendo en cuenta la ciudad inmejorable que les había caído en suerte.

Aquel río era lo que hacía a V. más humano, si es que puede decirse que ese río fuera de V., porque más que atravesar la ciudad, hacía como que la rodeaba por la cintura, camino de un arrabal, para dejarla luego tirada.

Como es natural, V. era una ciudad que estaba de espaldas a lo único pintoresco y bonito que había en ella. Cuando inauguraron el primer *scalextric* en V., cerca del matadero, la gente iba en peregrinación a mirarlo y se sentaba en las terrazas que abrieron al lado y debajo mismo de él, para que los excursionistas vieran a su gusto, bebiendo cerveza y pelando gambas, pasar los coches y los camiones cargados de terneras y reses camino del sacrificio, entre las nubes negras de los tubos de escape. En cambio, a mirar el río no iba nadie. Estaba muy extendido en la ciudad que por el invierno el río favorecía los reumas y asmas nocivos y que en el verano aventaba nubes de mosquitos. «No es sano», aseguraban todos.

En sus orillas le crecía a aquel río admirable una arboleda frondosa de álamos, fresnos y chopos. Poco a poco le habían ido tirando los molinos, aceñas y viejas fábricas de ladrillo de las riberas para construir algunos bloques de viviendas sociales y algunas industrias remolacheras y químicas que extendían sobre V. su colcha de humos amarillos. Tampoco eran infrecuentes a una y otra ribera sorprenderlas con basureros y escombreras que los propios habitantes de V. cebaban cada día.

Los más orgullosos de esas y otras factorías que fueron cercando a V. por todas partes eran los naturales de allí, y en primer término, los propios obreros, muchos de los cuales eran de V., pero la mayoría no. La mayoría venía de los pueblos cercanos, donde habían dejado el arado y la mancera tirados en el surco para invadir entusiasmados la ciudad. La flecha en la cuadrícula demográfica de V. se había disparado y la población se había multiplicado por cinco en los últimos diez años, lo cual llenaba de gozo y júbilo a todos, que parecían recordar con orgullo a todas horas: «¡Cuántos somos!»

Primero estuve a punto de vivir en uno de aquellos barrios de las afueras con dos camaradas. Es curioso. He olvidado cómo se llamaban, pero aún recuerdo sus nombres de guerra. El alias de uno era Domingo. Otro se llamaba Braulio. A mí me llamaban Olegario.

Vino un día el camarada Cirilo, que debía de tener el mismo rango que Rei o que Tejero, con instrucciones terminantes: «Hay una orden en el partido según la cual los militantes y simpatizantes que puedan hacerlo tienen que mudarse a vivir a los barrios. Hay que mezclarse con la gente, conocer sus problemas, estar cerca de sus luchas. Los militantes tienen que reeducar su aburguesamiento y proletarizarse.» Ésa fue la razón por la que estuve a punto de irme con mis camaradas. Luego a uno se le murió su padre, dejó de estudiar y aquel proyecto no se llevó a cabo, pero a las pocas semanas me fui con tres compañeros que no tenían nada que ver con el partido al mismo barrio donde habíamos planeado irnos antes.

Encontramos un piso en una calle que se llamaba Agustín Espinosa, igual que el surrealista canario, aunque no debía de ser él. Me extrañaría. Lo surrealista habría sido que el Agustín Espinosa que yo conozco tuviera una calle en un barrio obrero de V. que se llamaba, por ese surrealismo que se incuba en la vida sin necesidad ninguna y porque sí, el barrio de las Delicias. Estaba junto a la vía del tren. Por un lado, el populoso barrio de las Delicias; por otro, el mundo ferroviario. Por el frente, el progreso; por la espalda, una visión romántica del mundo.

Al principio me mudé allí con la emoción del que entra por primera vez en la ciudad santa. Yo no había vivido nunca cerca de los obreros y llegué con la humildad del que necesitaba a toda costa ser aceptado por ellos. De nuevo una vieja confrontación dialéctica; y lo mismo: ellos eran el futuro; nosotros una visión caduca, romántica, de la historia.

Ahora estoy hablando de cosas y acontecimientos muy posteriores a mi encuentro con Dolly, pero no sé hacerlo de otra manera.

Aquel barrio de las Delicias fue mi casa, mi nuevo hogar.

Las casas de aquel barrio eran todas de ladrillos negros y tenían todo estropeado, las puertas, las ventanas, las paredes con grietas por donde entraban las cucarachas, y las escaleras tiznadas por los humos de las cocinas.

Por las mañanas, las calles se llenaban de señoras que bajaban a hacer sus compras con la bata puesta

QUITE MIDDLE-CLASS

y las cabezas llenas de rulos. En muchas de aquellas mujeres despertábamos instintos maternales. La mayoría de sus maridos, por el contrario, desconfiaban y no les gustaba verlas hablando con nosotros.

Había muchos bares. Eran pequeños, sucios y ruidosos igual que los pisos. En cada manzana había cinco o seis, con media docena de mesitas de formica y una alfombra de serrín negruzco. Por las tardes se llenaban de los mismos hombres que desaprobaban que sus mujeres hablaran con nosotros y a las que tampoco ellos hablaban mucho más. Jugaban al mus, al dominó, escupían en el suelo y remataban las jugadas con puñetazos salvajes. Pasaban ocho o diez horas sentados allí y sólo se levantaban para marcharse a casa cuando en la televisión, que tenían levantada todos aquellos bares en un altarcillo, se oían el himno nacional, el *Cara al sol* y el *Oriamendi* con sucesivo fondo de banderas, rojo y gualda primero, negra y roja de Falange después y, por último, la bandera aspada de San Andrés.

A aquella clase obrera era a la que teníamos que redimir.

En una ocasión nos tocó ir a la salida de una fábrica. Sonaban las sirenas como en las películas expresionistas rusas. Yo creo que incluso a la realidad se le puso, aquella vez, todo en blanco y negro, con muchas sombras y planos cortos y picados. Era emocionante mezclarse con los obreros. Éstos salieron como una tromba humana, y uno en medio, firme roca de la revolución, pasándole la corriente proletaria a uno y otro lado. Yo me acerqué al primero que venía a mi encuentro. Le tendí ilusionado

SUSPICION IN BARRIO

HOW WORKERS LIVE

la valiente octavilla. Me miró de abajo arriba, me dijo «gilipollas» y pasó de largo.

Estos incidentes, lejos de desalentarnos, nos llenaban de ardor combativo en la labor de proletarizarnos no sólo a nosotros mismos, sino de proletarizar incluso a la mismidad proletaria, enferma, como se veía, con el virus del aburguesamiento insolidario y reaccionario.

Mi nombre de guerra, ya he dicho, era Olegario. Los había peores. Yo no sé quién elegía los sosias. Seguramente los elegía el obrero que nuestra organización aseguraba tener como militante.

Cuando se producían posturas enfrentadas, alguien decía: «Esto son discusiones de intelectuales. No sirven de nada. Hay que escuchar a la clase obrera.» Iban, citaban al obrero y éste dirimiría, digo yo, lo que encontraba más conveniente y revolucionario. Aunque puede ser que los alias que daban a los militantes y simpatizantes cuando entraban en la organización no los ponía él. Si no era él, quizá fuera un representante de la novela social. Si no, no se explica. Conocí, entre otros que no recuerdo, un Segundino, un Arsenio, una Sagrario, un Marcelo, Cirilo ya lo dije antes, una Petra y una Amalia. Luego me dijeron que eso cambió y debió de salir el novelista social y entrar un poeta novísimo, porque donde antes uno se llamaba Aniano, pasó a llamarse Juan Alberto o Alexis Luis, y a la que se llamaba Petra, la llamaron Rosa, Lidia, Carlota o también Olga.

Cuando no se podían hacer las reuniones en una casa, se hacían al aire libre, también a las afueras de V., en una alameda.

Las reuniones allí, en cambio, eran agradables, se oía cantar a los pájaros y el ruido de las hojas. Era un paraje solitario e inhóspito, donde las crecidas del río dejaban los juncos y arbustos de la orilla llenos de mechones de barro y trozos de telas sucias y papeles. Las aguas del río no eran limpias allí y bajaban botellas de lejía flotando y otras basuras, como si vinieran de atravesar un estercolero.

Un día de mucha niebla, al salir a la carretera comarcal para volver a pie a V., después de una de aquellas reuniones al aire libre, fuimos testigos de un hecho insólito. De pronto la niebla empezó a deshacerse en jirones y a salir el sol y a verse un cielo azul tan hermoso, que era ya de postal barata. La niebla a lo lejos parecía quedarse prendida de las casas más altas de la ciudad como en los juncos la paja seca y el barro. En ese momento, V. se doró como un retablo con finos panes de oro de religiosos destellos. Lo que nadie hubiera sospechado: vista así, V. era una ciudad maravillosa.

Así quiero recordarla ahora. Con aquellas pocas calles viejas que seguramente habrán desaparecido, desde aquella lejanía, en aquella serena panorámica digna de un aplicado Canaletto. Nada de la ciudad levítica llena de militares, curas y policías, fachas y señoritos matones, obreros jactanciosos y estudiantes seráficos, sino la ciudad que un día contuvo cien sueños descabellados y verdaderos, aquella ciudad elevada, ofrendada a la luz más tenue y hermosa de Castilla.

Lo de aquel día fue una revelación, ciertamente. Me gustan las ciudades por las vidas que reúnen y dispersan, por las vidas que ponen juntas para que las vidas se ignoren o se trencen indisolublemente. Y entonces me gustó V. porque comprendí que tenían lugar en ella cada día mil encuentros y otros mil adioses, de los que nadie era responsable, pero de los que nadie podría mantenerse ajeno. De lejos, V. era lo más parecido a una pasión. Y fue ese día, al admirarla tan sincera y emocionalmente, cuando comprendí que la había perdido, por lo mismo que en Física todo lo que sube, baja, y lo que nace, muere, y lo que brilló está condenado a las tinieblas y el olvido.

Al llegar a las primeras casas de los últimos barrios de la ciudad, debíamos semejar no conspiradores sino pacíficos seguidores de Virgilio, y no me estoy refiriendo ahora a otro camarada, que también se llamaba así, sino a Publio Virgilio Marón, el amante feliz de la naturaleza que escribió en la primera de sus *Geórgicas* aquello de «tantas guerras hay en el mundo, tantas son las facetas del crimen». Por aquel entonces yo no había leído las *Geórgicas*, pero sabía muy bien que entre nosotros a nuestra revolución la llamábamos «la lucha» y a la lucha revolucionaria, cariñosamente, «nuestra guerra».

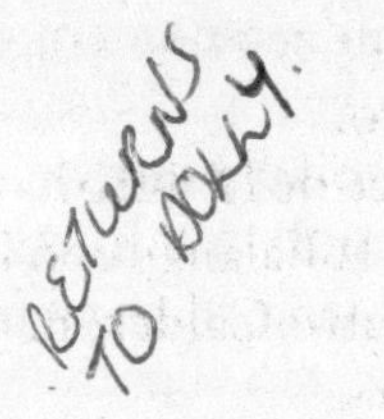

7

Me puse en pie. El eco de la palabra preservativos me golpeaba la cabeza.

Estaba fuera de toda duda que sería yo el que tuviese que salir a buscarlos. Dolly me informó:

–Tendrás que ir a una farmacia de guardia.

–¿No hace falta receta?

–Creo que no.

–¿Y no puede ser en otra parte?

–¿Te da vergüenza? Una vez me dijeron de un sitio donde los vendían.

–¿A estas horas?

Me dio la dirección y salí con el ánimo y la determinación de quienes persiguieron al vellocino de oro.

Hacía una noche espléndida, una de esas noches de noviembre en que parece revivir todavía el perfume moribundo del verano. Olores de un veranillo póstumo. Fui andando por la orilla del río.

Lo que desde el salón de Dolly no eran más que volúmenes foscos y negruras inmóviles, desde abajo era todo un pequeño y secreto universo. Las luces que se reflejaban en el río saltaban como duros de plata y se oía el ruido del agua al romperse con las ramas de la orilla. También el débil chapoteo de las barcas atadas con una cadena a los muelles endebles de madera se sumaba el rumor del viento, solapado entre las hojas negras, que se caían al agua o al suelo para que uno las pisara.

Cuando llegué a la Estación del Norte me dirigí a la cantina y allí busqué, donde me había dicho Dolly que lo encontraría, al viejo que vendía tabaco.

Era un viejo muy viejo, consumido y pequeño, que los pies no le llegaban al suelo cuando estaba sentado. Tenía la cabeza caída sobre el pecho, como si ya no reuniera fuerzas para aguantársela tiesa, y las dos manos juntas, sobre el regazo, sin moverse nada, le hacían parecer que posaba para una pintura negra.

Me acerqué y le pedí, todo lo discretamente que pude, que me vendiera lo que yo ya sabía. El viejo no se esforzó siquiera en arrancar su cabeza del pecho, sino que levantó los ojos para mirarme. Tenía una mirada que inspiraba ternura, una mirada de animalito, de perro de gitano, demasiado apaleado en la vida como para atender literaturas.

Al despegar los brazos, se le empezaron a mover las manos con un parkinson endiablado, que casi no las podía dominar. Con la izquierda levantó como pudo la bandeja donde guardaba el tabaco y metió debajo la derecha, entre acusados temblores nerviosos, para buscar al palpo la mercancía.

Yo también estaba nervioso y al ver al viejo tartalear, más todavía, y me figuraba que todos nos estarían observando. Pero no. No había casi nadie y a ninguno de los que permanecían a esas horas en la cantina de la estación parecía interesarle ni lo que yo estaba haciendo allí ni lo que el viejo temblón seguía buscando, con desesperantes espasmos, debajo de la bandeja del tabaco. En el local había una luz agónica y olía todo a calamares fritos del día anterior. Me tendió una cajita de color azul con las letras en color encarnado que ponían Malvarrosa, pagué lo que me pidió y salí de allí.

Durante muchos años me había imaginado cómo sería la primera vez que yo estuviese con una mujer a solas, en la cama. Después de la primera vez es fácil imaginárselo, o recordarlo o fantasearlo, pero antes no. Antes de esa primera vez es inútil explicar nada, lo mismo que resulta ocioso hacerle comprender a nadie a qué sabe un mango o una papaya, si ese alguien no ha probado alguna vez un mango o una papaya. Por mucho que se lo expliquen, nada. Todo lo que no sea comerlos, sale sobrando.

Yo había leído con trece años una novela de Knut Hamsun. ¿Pudo ser *Hambre*? A saber. Estaba publicada en una de esas ediciones baratas que según vas abriendo el libro y leyendo una página, la puedes ir tirando, porque se despegan todas las hojas. En ella se describía de una manera maestra qué era aquello. Más o menos se iba adivinando lo que iba a ocurrir porque los dos personajes, un joven labrador y su prometida, lo andaban buscando ya desde hacía bastantes capítulos. Estaba muy bien escrito. Parecía que se iban a acostar en un párrafo y luego no se acostaban. Y así un buen número de episodios, hasta que por fin no le quedó más remedio a Knut Hamsun que describirnos lo que durante tanto tiempo y con tanto misterio y ceremonia nos venía escamoteando. El protagonista se llevó a su novia a un bosque y allí empezó a abrazarla y a besarla muy dulcemente, y su novia, que era virgen, se abandonaba en los brazos de su amante, mientras dejaba que las manos fuertes del rústico la fueran desnudando, con mucho gusto de los dos. Luego se tendieron sobre un manto de hojas secas y de aterciopelado musgo, y cuando se hubieron besado y abrazado y acariciado a placer durante dos o tres párrafos más, el protagonista fue y la penetró. Ése era el verbo que utilizaba Knut Hamsun. Lo recuerdo. Lo utilizaba el escritor o el traductor, que para el caso da igual. Estaba escrito todo que parecía real y leí lo que duraron todas aquellas premiosas descripciones sin pestañear y conteniendo el aliento. El momento culminante lo dejó así escrito Knut Hamsun: «Fue algo muy sencillo, como meter un puño en un pastel de manzana.»

Después de aquel día yo traté en muchas ocasiones de imaginarme cómo sería aquello a partir de la comparación de Knut Hamsun. Pero no resultaba sencillo. Se trataba de una operación complicada, de vasos comunicantes, o si se prefiere, de correspondencias. Tenía que imaginarme lo que sentiría una, en fin, ya se me entiende, al meterla en el, ya se me entiende también, a partir de la sensación física que experimentaría un puño al caer sobre un cremoso trozo de pastel y empujar hacia abajo. Algo parecido, pensaba, a un émbolo bien lubricado, entrando y saliendo, enérgica pero suavemente. Incluso llegó a rondarme la idea de comprar una tarta y a escondidas tratar de acercarme, por una vía empírica, a lo que de manera tan gráfica había descrito el novelista. Pero una lógica aplastante me hizo desechar esta idea. Y acaso fue mejor así, porque quién me dice a mí que no habría terminado uno metiendo en el suculento pastel no el puño, no, sino otra cosa, como sabía que a veces ocurre, por ejemplo, con los pastores y sus cabras o con algunos feligreses del fetichismo y de las perversiones.

Dolly se había quedado dormida en un sillón, pero quiso retomar directamente las cosas donde las habíamos dejado y sin decirme nada volvió a pasarme sus brazos por el cuello, un poco soñolienta todavía. Entonces nos besamos, pero ella no volvió a soplarme en los labios. Me trajo luego mi copa. El champán estaba caliente. Cuando me encontré de nuevo entre los brazos de Dolly, volví a acordarme de Knut Hamsun y del pastel de manzana. Pero resultó más complicado, porque no recordaba que en la novela de Knut Hamsun tuvieran los dos amantes una cajita azul de la marca Malvarrosa al lado. Y eso fue en un momento lo único que me preocupó, porque yo no había visto ningún condón de aquellos antes.

A pesar de todo, las cosas entre Dolly y yo podrían haber ido peor, pero no. A los besos siguieron las caricias y a las caricias todo aquello que ha hecho que los amantes encuentren siempre, desde los remotos siglos de los trovadores, prematura la aurora y corta la noche. Y no digo más.

A la mañana siguiente, cuando me desperté, Dolly ya se había ido. Creo que la cabeza me dolía tanto de la resaca del anís y el champán como del aturdimiento. No podía dejar de pensar un solo momento en algo que no fuera lo que me había ocurrido. Toda la frialdad de la tarde anterior, aquel analizarlo todo, aquel radiografiarme el alma, habían desaparecido sin dejar rastro y sólo podía oír, precipitándose por mis venas, un torrente de arrebatados sentimientos. Algo me había cambiado como por embrujo, como si conociendo a Dolly hubiese caído en las manos magas de Circe.

Recorrí la casa vacía. Entré en todas las habitaciones. Todo cuanto veía adquiría para mí un valor especial. Me decía: «Ésta es la casa de Dolly. Éste es su cepillo de dientes. Ésos son sus zapatos. Ésos son los libros que Dolly lee y los discos que escucha. En esa taza de café Dolly habrá desayunado esta mañana.»

Yo mismo me preparé un café con leche, que tomé en aquella misma taza que Dolly había dejado sobre la mesa, y traté de adivinar por qué lado lo habría bebido, para posar yo también allí mis labios con devota pasión.

No sabía muy bien qué me estaba sucediendo, como tampoco tenía conciencia clara de lo que me había sucedido. Me sorprendí escribiendo en el vaho que se formó sobre el espejo del cuarto de baño, al salir de la ducha, estas cinco letras: «Dolly.» Quería leerlas, hacerlas algo más que una palabra que yo habría pronunciado la noche anterior unas docenas de veces. Y me sequé con su misma toalla y traté de meter mis pies en sus mismas y pequeñas zapatillas de baño y creo que no me habría importado usar sus mismas barras de labios y su kohl y su sombra de ojos. Al fin había pisado la cima de una emoción insostenible y comprobado, desde lo más alto, que había desaparecido en mí el vértigo. Sólo quedaba en mi alma la contemplación de un panorama inabarcable, justamente aquél al que daban acceso las cinco letras, las cinco puertas de su nombre.

Recordaba uno por uno todos los segundos de aquellas últimas horas. Y algo curioso: era como tener una sensación nueva. Guardaba en la memoria al mismo tiempo, en una simultaneidad que hasta entonces me era desconocida, cada uno de esos segundos vividos y todo el conjunto, conciencia del todo y las partes del todo. Y eso no me había ocurrido antes, como tampoco recordaba yo que hubiera estado entusiasmado por nadie como me parecía estarlo por Dolly, después de todo lo sucedido. De repente, ¿Lola, Celeste? Me acordaba de ellas, pero de una manera muy vaga, que no era una manera de acordarse de ellas.

Cuando terminé de ducharme, estuve sin saber qué hacer un buen rato. ¿Me iba y dejaba allí mi maleta y mis libros? ¿Cómo daría de nuevo con Dolly? ¿Y si Dolly no volvía a aparecer?

Salí a la calle y respiré la normalidad de la mañana, el mejor de los aires. Fui a la facultad. Allí me encontré a Rei. Faltaban dos semanas para las Navidades. Esto quería decir que había poco tiempo para fraguar la primera huelga, una que siempre se hacía por esas fechas y que en realidad era la más fácil de todas de llevar a cabo, porque no comprometía a nadie y aseguraba a todos unas prolongadas vacaciones.

En la facultad se desplegaba una gran actividad en aulas, pasillos y cafetería.

–Hay que poner este cartel.

Esperamos a que entrara todo el mundo en clase, cuando se quedaron los pasillos vacíos y los bedeles se metieron en sus tabucos a dormitar y ganarse el sueldo, Rei se sacó de debajo del jersey un cartel plegado en diez, me dio a mí el esparadrapo y lo pusimos en un vestíbulo, algo nerviosos. Luego Rei, yo y otro que se había quedado vigilando para avisarnos si venía alguien, nos fuimos al bar de la facultad.

–Ya está.

Se levantó en los tres un repentino hervor euforizante. Si alguien quería saber quién había puesto un cartel o tirado unos panfletos, no tenía más que ir al bar de las facultades entre clase y clase. Ése era nuestro cuartel de invierno. Allí, como nosotros, estaban los conspiradores, los aprendices de conspiradores. Sentados por sectores, en mesas separadas, los de Juventud Comunista, los de Juventudes Comunistas, los cinco o seis trotskistas, los tres anarquistas, los tres o cuatro cristianos progresistas, el carlista al que los cristianos admitían en su grupo por hacerle una caridad y, repudiados por todos, en el rincón más oscuro, como apestados, cinco a seis individualistas feroces, que no eran de izquierdas, que no eran de derechas, sino individualistas, juntos siempre, en grupo a todas partes, como una piña, abonados de las anfetaminas, del hachís y del alcohol barato. Allí estaban todos, combinando la destrucción del mundo viejo y proyectando los planos del nuevo, mientras los demás estudiantes perdían el tiempo con latines vulgares, literaturas y otras humanidades.

–A las doce es la asamblea –nos informó Rei–. Vamos a prepararla.

En los dos meses de clase habríamos hecho ya unas treinta o cuarenta asambleas, de clase, de curso, de comunes, otra vez de clase, luego de facultad, luego de grupos, que resultaba imposible aburrirse. Se hablaba, se discutía, se votaba y al día siguiente se volvía a hacer otra asamblea para votar lo que parecía que no se había votado bien el día anterior. Era la única manera de ablandar el terreno, dicho en términos de bombardeo militar.

Yo esa mañana no estaba para asambleas.

–Rei –añadí–, ayer me fui de casa de mis tíos.

–¿Y dónde has pasado la noche?

–En casa de una amiga de mi familia –tanteé.

El que nos había ayudado a poner el cartel se acercó a la barra para pedir nuestras consumiciones.

–Tengo algunas cosas que contarte.

–Luego. Ahora vamos a preparar la asamblea.

–¿Te parece poco importante que yo no tenga dónde dormir? Te estuve llamando toda la tarde. No estabas.

Comprendí, por la expresión de su cara, que no le apetecía hablar de mis problemas en ese momento. Tampoco se atrevió a quitárselos de encima de una manera que pudiera herirme. Está comprobado que la juventud es la edad de la solidaridad y de los egoísmos brutales. En una misma persona. A veces al mismo tiempo.

–Todo se arreglará –me tranquilizó.

Levantó su vaso, hizo un brindis con el aire y añadió alegremente:

–Por la independencia de Martín. ¿Qué hora es? Faltan tres cuartos de hora.

8

En la asamblea se votó, de una manera atropellada para no dar lugar a deserciones de última hora, manifestarnos en la vía pública. Fue la primera gran asamblea a la que yo asistía, la primera en la que participaban todas las facultades del distrito. Los pasillos se saturaron de estudiantes. Había gran expectación y animación en muchas caras nuevas. Los más jóvenes miraban con respeto a los menos jóvenes y éstos, indiferentes y de vuelta de todo, con cierta condescendencia de veteranos a los bisoños.

Como jamás se obtenía el permiso para celebrar la asamblea en el Aula Magna, nos dirigimos con gregaria rutina a la escalera principal. Era una escalera de dos brazos que se encontraban en el centro, para ascender lentamente al primer piso, formando un gracioso ocho que podía contener, con apreturas, tres o cuatro cientos de almas. La escalera tenía los peldaños y la balaustrada de piedra mármol y como fondo una vidriera, con cristales de emplomados colores, donde se leía, en latín, el lema de la facultad: «La verdad y las humanidades resplandecen.» Justo debajo de la vidriera nos acomodamos Lola y yo.

En la asamblea hablaron quince o veinte personas. Los había buenos oradores. La asamblea empezó a las doce. A la una discutía si había que salir en manifestación, o no. Unos sostenían que sí y otros que sería una provocación. Los del sí arrimaban al ascua de sus argumentos las condiciones objetivas, pues según ellos una manifestación en aquel momento venía de perlas a la estrategia del movimiento estudiantil. Los del no, por el contrario, podían estar de acuerdo en que una manifestación favorecía la estrategia, pero, en cambio, como táctica no era buena, pues según ellos tampoco las condiciones objetivas lo eran. Las posturas, irreconciliables, se fueron distanciando. Incluso un pobre hombre, al cual se le abucheó de una manera lamentable, imploró, perdido y desorientado, que la asamblea se disolviera y nos marcháramos a casa a estudiar y preparar los exámenes.

La mayoría de los oradores predicaba sin equivocarse una sola tilde, con una mano en la balaustrada, la otra por los aires en graciosos molinetes y medio cuerpo sacado al hueco de la escalera, en cuyas simas cien personas pegaban la nuca a la chepa para contemplarles con arrobo. Se veía que, más que las ideas, afirmaban allí su personalidad incipiente. Otros tribunos, sin embargo, incapaces y deslucidos, no hacían sino repetir, mal, lo que acababa de explicar bien el anterior, pero se les toleraban sus también legítimas aspiraciones de meter la cuchara en aquella cazuela.

De estar plantados los pies empezaron a dolernos y a quedársenos helados como el mismo mármol que pisaban. A las dos todavía seguíamos discutiendo si salíamos o no en manifestación.

Hablaba uno y, antes de que terminara, ya había siete manos que exigían la palabra. Un moderador iba diciendo: ése, aquél, allí. Las gargantas estallaban y el ambiente empezaba a oler a una variedad interesante del olor a montuno y otras hierbas bravas. Hasta que al fin las discusiones y ergotismos llegaron a un punto que hicieron temer por la continuidad de la asamblea. Entonces una voz providencial vibró con timbre épico desde las entrañas oscuras de aquel parlamento:

–Compañeros: ¡Unidad! ¡Unidad!

Retumbaron como aldabonazos en las mentes de los más concienzados y en las conciencias de los más comprometidos. Aquello no era un juego. La reunión, conmovida por tan enérgicas exclamaciones, recordaba de pronto que nos habíamos ido por los cerros de Úbeda. Era como si nos hubiéramos dado cuenta de repente de haber estado poniendo en peligro, con nuestras disquisiciones, la armonía imprescindible para cualquier orden práctico, fuera táctico o estratégico, dentro de las condiciones objetivas. Al primer «Compañeros, ¡unidad, unidad!» siguieron otros y a los pocos segundos, como reguero de pólvora, el ejemplo prendió y aquella asamblea jacobina en pleno terminó coreando de nuevo esas palabras mágicas con enardecimiento:

–¡Unidad! ¡Unidad!

Resultaba emocionante ver y escuchar a trescientos o cuatrocientos tronar, quc parecía que la cristalera emplomada se nos vendría encima, con toda la verdad y las humanidades juntas.

Fue aquél un gran descubrimiento, la medicina milagrosa, el bálsamo para cualquier herida o llaga en el movimiento estudiantil. El grito emulsivo capaz de aunar las más contrarias y heterogéneas soluciones revolucionarias. A partir de entonces, en aquella asamblea y en todas a las que tuve el honor de asistir, podían levantarse violentas tempestades dialécticas, poderosas galernas. Daba igual. Sin problemas. Alguien abría desde un rincón la ventana providencial de la revolución a las voces entusiastas de «¡Compañeros!: ¡Unidad ¡Unidad!», y todo volvía a ser como antes.

Yo no despegué los labios en toda la asamblea. Lola tampoco. Los nuevos no decíamos nada. Hablaron sobre todo Rei y uno que se llamaba Agustín Mutis, de tercero de Exactas, al que era difícil arrebatar la palabra cuando la tomaba, pese a su apellido. También habló mucho y de una manera extremista un vasco que luego supe que todos llamaban Txiqui, muy célebre por sus audacias.

Por fin se llegó a la votación. Fue a mano alzada. Contaron los del sí, contaron los del no, se equivocaron y hubo que volver a empezar el recuento otra vez. Al final resultó ciento sesenta síes, ciento treinta noes.

El vasco exaltado conminó:

–¡Todos! ¡A la manifestación vamos todos! Nada de rajarse ahora. Se ha votado, ha salido mayoría y tenemos que ir todos. ¡Todos! El que se raje, maricón.

Protestaron algunas feministas, porque les pareció discriminatorio:

–De acuerdo –se enmendó Txiqui–. El que se raje, maricón o puta.

Las protestonas se dieron por satisfechas y todos nos reímos, porque con los nervios se empezaba a tener los muelles flojos.

De nuevo el miedo hormigueó en nuestros estómagos vacíos.

Por la expresión acobardada de algunos se veía que estaban arrepentidos de haber venido a la asamblea, que les parecía una encerrona. Pero ya era tarde.

Rei estaba exultante. Suponía un gran éxito político, el primero, en el campo de las movilizaciones de masas aquel año.

–Bueno, vamos –y Rei encabezó el cortejo hacia la puerta de salida.

–De prisa –repitió otro–. Vamos allá antes de que llegue la policía.

Rei lanzó al espontáneo una mirada furiosa. Aquello era mentar la soga en casa del ahorcado.

La manifestación, como era tradicional, salió de la facultad, enfiló la calle Cortezo y se dirigió hacia la plaza de España.

Empezamos a corear las consignas. Lola y yo íbamos juntos. Yo era presa de una gran ansiedad y Lola también. Ya no me acordaba de Dolly ni tampoco de la noche anterior, que las nubes de anís habían terminado por levantarse y desaparecer. ¿Puede ocurrir eso? Luego me lo he preguntado muchas veces. No sé si puede pasar, pero pasó. El presente, el segundo, el instante presente era más poderoso que el instante pasado o el instante por venir, insignificantes a su lado. No había dejado de amar a Dolly, naturalmente. La amaba aún, sólo que allí únicamente había lugar para la acción. Nada de ensimismamientos. Contra delicuescencia, acción, riesgo, peligro. La guerra, pensé entonces, no es compatible con el champán.

Apretamos más aún las filas. Gritamos todavía con determinación más enérgica. Si hubiera sido a voces, las cosas en España habrían cambiado aquella misma mañana. Lola y yo nos miramos y nos sonreímos por la novedad de asistir por primera vez a una manifestación, pero al momento nos dimos cuenta de que parecer contentos en una manifestación y pasárselo bien en ella era una frivolidad, una inconveniencia. Yo creo que pasárselo bien y ser revolucionario a la vez no se podía. Podía ser uno revolucionario primero y luego feliz. A la vez no, me parece a mí, salvo los tres o cuatro ácratas y los tres o cuatro individualistas. Éstos era en el único lugar, las manifestaciones, donde se divertían, porque aprovechaban para romper las lunas de los escaparates, que es cosa que siempre satisface mucho. A nosotros nos tenían prohibido eso. La revolución era a la vez una cosa más seria y una cosa más triste.

Seguimos adelante. Cercana la hora del almuerzo, las calles estaban medio vacías. Los pocos transeúntes con los que nos cruzábamos se apartaban para dejarnos pasar. La mayoría se desentendía de nosotros, algunos nos insultaban, sobre todo a las mujeres. «Teníais que estar fregando», espetaban, «putas». Otros, en cambio, nos insultaban a nosotros: «Vagos, sinvergüenzas, mierda de estudiantes.» Los que no decían nada, nos daban la espalda con indiferencia.

Las consignas tenían un orden. Se empezó por una de tipo corporativo: «No más aumentos de tasas ni matrículas.» Luego siguió esta otra: «Por una mejor calidad de enseñanza.» Era difícil corearlas al unísono, porque no resultaba sencillo hacerlas entrar en la estructura de un ritmo lógico. Algunas veces se ensayaba el ritmo de soleá, el yámbico, el octosilábico, el de la rumba, qué sé yo. Imposible. Ni rimaban ni tenían medida.

La gente de la calle se preguntaba: «¿Qué piden?», y todos tenían que reconocer que no sabían, porque no se entendía lo que se gritaba.

Cuando llevábamos cinco minutos por la calle Cortezo, yo miré atrás y vi con espanto que no íbamos en la manifestación más que tres o cuatro docenas.

–Lola –le dije–, nos han dejado solos. Estamos vendidos.

Lola volvió la cabeza. La gente se había ido descolgando en las bocacalles. No quedábamos más que cuarenta o cincuenta.

–Bueno. Ahora ya no podemos echarnos atrás –admitió Lola–. ¿Has visto a Celeste?

Celeste se había quedado rezagada. A su lado iba Rei. Las dos hermanas se miraron. A la sonrisa de complicidad que le dedicó Lola, Celeste no respondió. Iba seria, apretaba contra su pecho la carpeta de los apuntes y sus labios enérgicamente cerrados, no coreaban ni una de las consignas. Lola se asustó al sorprenderla de esta manera y se acercó a ella.

–¿Te pasa algo, Celi?

–Nada. Vámonos.

–¿Ahora? Tú no estás bien.

–Vámonos, Lola. Ahora mismo. Obedece, soy tu hermana mayor. No sigas.

–No. Yo me quedo –zanjó la pequeña.

–Por última vez, vámonos.

–No, te he dicho que me quedo.

–Bien. Conste que te lo advertí.

El miedo, un miedo sobrehumano, se había apoderado de Celeste, y su belleza se transformó en la belleza de una sibila, que previese, con dolorosa clarividencia, todas las desgracias que habrían de sobrevenirnos de persistir en nuestra obcecada determinación. Era como si su interior no fuese lo bastante grande para contener estos dos miedos: el miedo de quedarse en la manifestación y enfrentarse por ello con los golpes, las carreras y quién sabe si la detención, y el miedo de tener que convivir, si desertaba, con ella misma, con su propia cobardía. Uno era el miedo que la aguardaba afuera. Otro, el que le estaba esperando en su interior, en su conciencia. Nos miraba aterrada, pedía con los ojos que entendiéramos, esperaba, tal vez, que alguien la absolviera. «Vete, Celeste, no sufras más. No tengas miedo de nada, ni de esto ni de ti ni de nosotros. Te seguiremos queriendo igual.» Pero Celeste nos miraba desde su paralizante espanto, trasparentando en el escenario de su cara la batalla tan enconada que estaba teniendo lugar en su alma. A menudo, en las representaciones pictóricas o mitológicas, se le ha puesto al miedo cuerpo de mujer, porque el miedo es algo frágil. Cuando más fuerte resulta, busca continentes más débiles y quebradizos. Pues bien. En Celeste no. Por el contrario, a Celeste la había transformado por completo, dándole a toda ella, a sus ojos, a las manos que sostenían crispadas la carpeta de apuntes, a sus músculos en tensión, una expresión de dureza, energía y virilidad, como vemos que tienen en los frescos de la Sixtina las aceradas sibilas de Miguel Ángel. Era sí, la energía, la virilidad que su naturaleza le proporcionaba a su debilidad para salir huyendo de allí.

En una décima de segundo dio un salto hacia atrás y la joven y hermosa sibila se salió del grupo, nos dio la espalda y desapareció con pasos precipitados, tropezando consigo misma, por una de las calles oscuras que mueren en Cortezo.

Rei, que estaba a su lado, vio en silencio cómo se alejaba. Yo quise mirarle a los ojos y adivinar qué había ocurrido allí con Celeste, con él, con la manifestación, pero esquivó mi mirada dio tres zancadas y volvió a colocarse en la primera fila de la manifestación, donde le hicieron un hueco. Al lado iba Gaztelu y otros que yo ya conocía. No vi a Gabriel.

Mi propio terror, en esencia no diferente del de Celeste, tomó cuerpo de pronto, como si hubiera precisado del de ella para manifestarse sin cortapisa, sólo que a Celeste su propio pánico la lanzó lejos de aquel escenario y a mí me sujetó a él. Creo que no fueron ni el valor ni la osadía quienes me impidieron salir huyendo también. Hoy puede parecer ridículo que se padeciera tanto por tan poco, justamente porque el riesgo que se corría en una manifestación no era proporcional a la amenaza de los años de cárcel que le sobrevenían a uno si era detenido en ella. No. Hoy se pensará: «¿Una manifestación? Bien poca cosa.» De acuerdo. Pero como ocurre siempre, el miedo es una alimaña que se aclimata al terreno donde depreda. El adulterio en Italia es incluso celebrado con chanzas y burlas. En muchos lugares de Oriente basta la sospecha de esa nadería para lapidar a una mujer. En no pocos países de Asia al raterillo se le sigue cortando una mano. Si un ladrón es sorprendido robando en un supermercado de Estocolmo, al momento se le da una sopa caliente y los psicólogos y asistentes sociales, con mucha desolación y tristeza, le preguntan: «pero, ¿por qué?», para deslizarle a continuación quince coronas en el bolsillo y soltarlo en el mismo lugar donde le detuvieron. De modo que sí. Una manifestación en términos absolutos no es nada. En términos relativos lo era todo, porque la vida está hecha de relativos y no de absolutos, de manera que mi miedo, el de Celeste, el de todos, era el tumor que a unos afectaba y a otros no, sin que se supiera la causa.

Tal vez yo hubiese deseado seguir a Celeste en su huida, pero permanecí allí. Me quedé entonces y me quedé en todas y cada una de las manifestaciones a las que me impuse y se me impuso asistir. Quizás por alardear después, pasado el peligro; tal vez por convicción; puede que por fatalidad. ¿Quién me dice que no fuera por esperanza? No tanto la vaga esperanza general de ver cambiar las cosas, como la íntima esperanza de someter aquel temor tan grande. De niño quise vencer la repulsión que siempre me han producido las culebras. ¿Cómo? Me impuse cazarlas cada día, meterlas con mis propias manos en botellas de alcohol y observarlas durante horas con la ilusión de que el día siguiente aquellas manipulaciones no me iban a repugnar. Jamás logré vencer el miedo a las manifestaciones. Miraba con envidia a los que encontraban en ellas emociones excitantes, el éxtasis de la acción, si puede decirse. Es cierto que cuando se daba por terminada una manifestación o cualquier otra acción de índole parecida, uno se encontraba mejor. Eso ocurría, en efecto, pero no era porque desapareciese el miedo, sino el peligro.

El miedo incluso, ya lo he dicho, hacía que te fijaras en detalles absurdos y que desearas cosas inapropiadas, como ser otra persona. Por ejemplo, alguno de aquellos transeúntes con los que te cruzabas, indiferentes y tranquilos, camino de sus casas.

Unos metros más lejos de donde Celeste nos abandonó, pasamos por delante de la Librería Universitaria, ya cerrada. El fragor de la comitiva sacó a su dueño a la puerta. Se llamaba aquel viejo librero Miguel Lozano. Era una buena persona que hacía la vista gorda a nuestras sisas y que en aquella ocasión vio, con aire comprensivo y bondadoso, cómo marchábamos al encuentro del destino. Es sabido que en alguna de las primeras secuencias de sus películas, Alfred Hitchcock saca de refilón a un personaje que no vuelve a aparecer luego y que no es otro que el propio y orondo Alfred Hitchcock. Aunque no vuelva luego a pisar estas páginas, me gusta tener a aquel paciente librero parado aquí, en este capítulo, escéptico y espectador de nuestra pequeña marcha.

ALWAYS FEAR

En la plaza de España descubrimos, en formación macedónica, media docena de furgones de la policía y a los guardias apeados todos, con los cascos, las viseras y las porras en la mano, que daban miedo.

–¿Qué hacemos? –me preguntó Lola.

–No sé. Irnos, supongo.

Detrás de nosotros empezaron a sonar unas sirenas. Querían embolsarnos entre dos fuegos. Seguimos andando. Los que marchaban a la cabeza, fogueados ya en otras batallas, cambiaron los gritos de guerra. Las consignas políticas desplazaron, sin rebozo, a las consignas corporativas: «Disolución de cuerpos represivos.» Era lo que se llamaba instrumentalización del movimiento de masas. Levantaron el puño, levantamos el puño. También aquello era la primera vez que lo hacía. Al hacerlo, al miedo se sobrepuso la emoción del berebere que enarbola su espingarda antes de espolear su camello contra la caravana objeto de su asalto. Aquel puño en alto fue una dulce droga probada por primera vez, la afirmación de una libertad y el recuerdo de otra esclavitud...

«Disolución de los cuerpos represivos.» Esta consigna, mira por dónde, sí se podía gritar bien. Estaba compuesta de pentasílabo y octosílabo. Tenía un ritmo. Había que cantarla así: «Diiiiisolución», alargando la i, pero ya era tarde para coros.

El tal Txiqui se destacó del grupo. Llevaba un adoquín en la mano. Cuando estuvo a unos sesenta metros de los guardias, lo arrojó con fuerza contra ellos, pero aquel morrillo pesaba lo suyo, tenía una forma poco apropiada como proyectil y salió desviado para caer en una papelera, que arrancó de cuajo. El impacto sonó con escándalo y los guardias, que parecían esperar esa señal, se lanzaron rabiosos contra nosotros.

–Vámonos de aquí –le grité a Lola–. Se va a liar una buena.

–¿A dónde quieres que vayamos?

Cogí de la mano a Lola, tiré de ella y salí corriendo hacia el flanco más desprotegido, el de la calle Ancha. En la huida esquivamos a dos de aquellos gorilas que nos tiraron un par de viajes con la porra.

Cuando nos creíamos a salvo, noté una sacudida en la espalda y un aliento hostil sobre el cuello. A Lola la había inmovilizado un energúmeno de uno noventa de estatura. La tenía bien sujeta del brazo, mientras levantaba la porra tan alto como podía para sentársela con saña. Tanto como habíamos nosotros alzado el puño. Lola amagó dos o tres de estos golpes y él marró otros dos, lo que enfureció todavía más a aquel forzudo. Yo tiraba hacia mí de Lola y el guardia tiraba hacia sí, y Lola en medio a punto de ser descuartizada. Al final, no sé cómo, conseguí hacerme con Lola y salimos despedidos los dos hacia adelante. La escaramuza había durado menos de lo que he tardado yo en contarla aquí.

Corrimos durante diez minutos hasta que la vista se nos nubló y nos faltó fuelle. Luego seguimos a paso rápido. Jadeantes, volvíamos hacia atrás la cabeza cada poco, con el vago temor de que aquella pesadilla volviera a reactivarse. Nuestras respiraciones entrecortadas se fueron sosegando y yo sentí un cuchillo clavado en el costado. No podíamos siquiera hablar. Empezamos a experimentar un sentimiento de seguridad y el hormigueo placentero de estar a salvo. Lola iba pálida y el sudor le bañaba la nuca.

Media hora después seguíamos andando sin rumbo fijo, alejándose por instinto del campo de batalla.

Todavía teníamos cogidas nuestras manos. Era agradable llevar a Lola de la mano. Era una mano mullidita, carne de mazapán, con las uñas mordidas. Entrelacé mis dedos con los suyos y los presioné ligeramente. Lola correspondió con otra suave presión, como si empezáramos los dos a tararearnos en morse una canción que no tuviera todavía letra.

Habíamos llegado a un lugar extraño y despoblado.

–¿Sabes dónde estamos?

–No.

Era a las afueras de la ciudad. V. tenía eso. Como te descuidaras, te pasabas el día entero en los ejidos, arrabales y periferias. Se veían dos filas de casas molineras de una planta, achaboladas, una calle ancha de tierra apisonada y dos o tres coches viejos y desguazados. Era la hora de la comida. No se veía un alma. Cruzó un perro junto a una barda y el sol medio frío que había dejó retratada su sombra en el tapial de adobe.

–Un perro –dijo Lola.

–Sí, un perro.

Lola y yo seguimos andando, dejamos las casas atrás y nos internamos en un pinar cercano. Yo no sabía a dónde iba y no creo que entonces lo supiera tampoco Lola, pero seguimos andando.

Al pisarlas, nuestros pies sacaban un murmullo seco de las agujas de pinaza. El aire olía muy bien y las copas de los pinos se oscurecían aún más por todo el guirigay que hacían en ellas los pájaros, volviéndolas más grandes y copiosas. La manifestación quedaba lejos, la plaza de España también... Al pasar junto a un pino, Lola preguntó:

–¿Qué son esos tiestos?

–Las cazoletas de la resina.

Tras la trascendencia de las ideas, los diálogos de lo inmediato.

Después de que Lola preguntara eso y de que yo le respondiera, la atraje hacia mí y la besé. La noche pasada con Dolly me había vuelto osado.

A los dos nos habían excitado los acontecimientos, los nervios y el cansancio, aquel lugar extraño y apartado y la combinación perfecta que es el miedo y el peligro cuando se olvida el miedo y se pasa el peligro... A Lola le brillaban los ojos como aceitunas negras y las aletas de su nariz empezaron a moverse con nerviosismo al respirar, quién sabe si de deseo o de miedo o de peligro... Después de aquel primer beso, Lola separó un poco su cara de la mía.

–Martín, tengo que decirte algo...

Esta vez fueron las yemas de mis dedos las que sellaban unos labios.

–No digas nada.

Volvimos a besarnos. Lola besaba como pocas mujeres han besado nunca. Era sensual y dura al mismo tiempo, seca y seductora, fría y ardiente, dulce y amarga. Si alguien no supiera que estábamos hablando de besos, se creería que estábamos haciéndolo de un café irlandés. Pues bien. Así era ella: un café irlandés, cargado y fuerte, helado y abrasador.

Toda su sabiduría, sin embargo, terminaba ahí. Eso era lo que había tratado de decirme, sin que yo la dejara, hacía un minuto. Su docena larga de novios no le había servido nada más que para ensayar desde los trece a los diecisiete años que tenía entonces, ese beso suyo, perfecto e inigualable. Me miró entonces con una sonrisa maliciosa, desde su invulnerable adolescencia de muchacha. Era una sonrisa llena de vida, divertida de verse metida en aquel lío, los guardias, las carreras, el pinar, y divertida, sobre todo, de lo que a una mujer puede divertir más que nada: de haberme pasado todo el peso de aquella situación. Por esa razón, y sólo por esa razón, tuve que echar mano de una frase que veinticuatro horas antes jamás hubiera pensado que fuera yo capaz de pronunciar delante de una mujer a la que acababa de besar por primera vez hacía cinco minutos. Ensayé una sonrisa de naturalidad y añadí.

–Tengo preservativos.

Lola podía esperarse cualquier cosa, menos que yo saliera por ahí. Me miró desconcertada. Temí una reacción imprevista. Pero no. Aquella sonrisa maliciosa volvió a prender en los ojos de Lola, nos sentamos en el suelo y cuando quisimos darnos cuenta, se habían hecho las siete de la tarde y estaba anocheciendo.

SEGUNDO INTERLUDIO

LOS CAMARADAS

No hay ciudad [illegible] que no [illegible] una
leche de belleza, [illegible], una receta
[illegible] sobre un [illegible] dejados o uno
[illegible] entre negras [illegible]. No
hay [illegible] que no se haya [illegible] alguna
vez [illegible] que una
mañana de domingo no haya [illegible] en otra ciudad
en otra parte con cielos distintos y un claro porte-
[illegible] de [illegible] nadie.

Estaba en que vivíamos de la Alameda de Es-
[illegible] la [illegible]
[illegible], y [illegible] aquella ciudad [illegible], entre la
media noche [illegible] ella [illegible] bajo
[illegible] y [illegible].

Veníamos en aquel grupo, como siempre: [illegible]
[illegible], una chica que estudiaba Farmacia
y a la que llamábamos [illegible], y [illegible] los camaradas más [illegible], los más cercanos al menos.

A veces me he acordado de ellos. De ellos y de
otros que se me quedaron más lejos. De algunos no

No hay ciudad tan vieja que no conozca unas horas de belleza, unas campanas lentas, una veleta inesperada y feliz sobre un sinfín de tejados o un oscuro pasaje modernista entre negruzcas casas. No hay ciudad tan cruel que no se haya tendido alguna vez a nuestro lado ni ciudad tan ruinosa que una mañana de domingo no haya creído ser otra ciudad en otra parte con cielos distintos y un claro porvenir. Hasta V. tenía derecho a su modesto sueño.

El día en que volvíamos de la Alameda de Escalona, la alameda donde celebrábamos nuestras reuniones de célula al aire libre, descubrimos en V. aquella ciudad distinta de sí misma, primero entre la niebla hecha jirones, luego toda ella refulgente bajo un sol bruñido y sacro.

Veníamos en aquel grupo, como siempre, Tejero, Gaztelu, Rei, una chica que estudiaba Farmacia y a la que llamábamos Petra, y yo. Fueron los camaradas, mis camaradas, los más cercanos, al menos.

A veces me he acordado de ellos. De ellos y de otros que se me quedaron más lejos. De algunos no guardo buena memoria, de otros sí. Puesto que estas cuartillas están destinadas a pervivir durante años, siquiera sea entre el polvo de alguna pequeña y oscura biblioteca, a todos mis viejos camaradas me gustaría redimirles, porque redimiéndoles a ellos me redimiría a mí mismo de una vida y una confusión de las que la vida misma no puede redimirnos. Lo mismo que acabo de decir de las ciudades, me gustaría poder afirmarlo de mis antiguos camaradas, pero a los más de ellos dejé de tratarles antes de descubrirles esa hora que todos tenemos sin puertas ni candado. Esa hora de misericordia, esa obra de misericordia.

En V. no había muchos que hicieran política. Política, se entiende, de izquierdas. La política de derechas entonces no se hacía en parte alguna, porque, como es sabido, ya estaba hecha.

Después de 1975 empezaron muchos a decir: yo estuve en tal y tal sitio, yo milité aquí y allá, yo pasé unas horas en una comisaría, a mí casi me detienen en una manifestación o conozco a uno que estuvo en la cárcel. Rosas de papel, bulas de letra gótica. El que más y el que menos preparaba su porvenir. En tiempos de Stendhal muchas nuevas fortunas se amasaron en las intendencias de los ejércitos imperiales. Las fortunas de 1975 se preparaban en las vacías despensas políticas, en los vastos almacenes de las no menos vastas y vagas luchas antifascistas. En cierto modo es lo mismo que cuando se liberó Francia: todos los franceses habían estado en la resistencia y todos habían cantado en alguna ocasión delante de algún alemán, con vibrante patriotismo, la *Marsellesa*, porque todos los franceses están convencidos de que aquella escena en el bar de Nick de *Casablanca* cantando la *Marsellesa*, la han protagonizado ellos mismos. Los miles de franceses que agitaron banderitas al paso de los carros alemanes o que guardaron un silencio cómplice, desaparecieron el mismo día de la liberación. Éste era, por ejemplo, el argumento envenenado de un Céline, aquel colaboracionista que tuvo cierta notoriedad como libelista y mixtificador literario. Pues bien. De dar crédito a muchos testimonios y memorias que se conocieron después, en España la mitad de la población era, de pensamiento o de obra, fervorosa partidaria de las causas democráticas o adversaria furibunda de Franco, por lo mismo que años después todos los aristócratas que habían estado matando ciervos con el general durante cuarenta años se declararían devotos monárquicos.

El caso es que en V. no creo que salieran más que unas docenas de agitadores de izquierda, juntando a todos los de los diferentes partidos y partidas.

No se podía uno reunir en público, ni sincerarse delante de desconocidos. Cuando algún fascista o adicto al régimen manifestaba una opinión intolerable, bajaba uno la cabeza, se callaba y terminaba tolerándola, aunque lo normal era que todo el mundo, cuando disentía de algo, dijese aquello de «yo no entiendo de política», igual que cuando en la guerra del 14 hicieron coserse en las solapas lo de «no me hable usted de la guerra».

También había en V. unos cuantos falangistas, y no menos activos, que se amparaban en una ciudad donde un tercio eran curas y otro militares.

Un día nos cruzamos en la calle Lope de Vega con un grupo de ellos. Vestían la zarabanda de los correajes, y el belén de las medallas prendidas en sus camisas azules se distinguía de lejos. Rei era de V. y sabía qué pasaba.

–Hoy es trece de febrero.

–¿Y qué pasa con el trece de febrero?

–Fue cuando se unificó la Falange con las Juntas de Onésimo. Vienen del teatro Calderón.

–Algunos llevan pistola.

–Las llevan siempre. Vámonos.

Todos los años era lo mismo. La santa tradición. Mantenían limpia de rojos la ciudad. La policía les toleraba con una sonrisa paternal, como al niño al que se deja, una vez al año, jugar con un juguete caro. Cuando se cansaban de dar vueltas por V., se dirigían a la zona de bares de estudiantes, entraban en dos o tres y empezaban a insultar a todo el que les parecía. Si se terciaba repartían unas cuantas bofetadas y rompían tres o cuatro caras. La gente, amedrentada, se marchaba de allí, dejándoles con sus juramentos y sus pistolas y cantando *Yo tenía un camarada...*

Los camaradas. La sola palabra le deja a uno pensativo. Entre nosotros había muchas formas de estar en la política. A unos no les detuvieron nunca, otros en cambio tuvieron mala suerte y en la primera acción cayeron en manos de la policía. Comisarías, procesos, expedientes académicos y una vida echada a perder o torcida para siempre. Para siempre. Para nada.

A veces uno oye: «Aquello fue necesario hacerlo.» Se dice tal vez no por fidelidad a los viejos ideales, como a la juventud perdida. Pero lo cierto es que la historia iba a demostrar que nada, nada de aquello iba a tener la menor utilidad. 1917, 1939, 1945, 1975... Eran como fechas de la fatalidad, no de la razón, ni del deseo, sino dientes de una rueda ciega que mordería o despedazaría a todos aquellos que, por fantasía, idealismo o cálculo, quisieran hacerla girar más de prisa o más despacio, en una u otra dirección. El dictador murió en su cama; sus ministros restituyeron el país a un príncipe sin experiencia, que premió a alguno de ellos con un ducado; nadie había oído hablar entonces de los socialistas, pero fueron ellos quienes gobernaron durante años, mientras los comunistas, a los que se les había augurado un próspero porvenir, desaparecían para siempre; y luego fue el muro de Berlín, y después la disolución en el infinito de la cruel unión de los soviets... Si alguien quiere ver en todo ello lógica, y llamarlo así, puede hacerlo, pero habrá entrado en el terreno de la literatura fantástica, aquel en el que muchos camaradas se dejaron cazar, torturar, encarcelar o en el que se vieron obligados a exiliarse, o en el que dejaron la vida, y todo ello, y en todos, por la fantasía pura y angelical que un día se llamó análisis científico de la historia, eso tan poco científico. Ni siquiera el celo razonable de unos pocos y su generosidad para los menesterosos de la tierra, justificaría tanta barbarie. Al final la historia, esa que muchos aún escriben con mayúscula, ha demostrado que más por los pobres y parias del mundo han hecho las hermanas de la caridad, incluso las malignas y avinagradas, que todos los comités revolucionarios. Y con menos ruido.

Camaradas... Sin duda del que guardo mejor recuerdo es de Rei. Tampoco me quedó, ni mucho menos, mal recuerdo de Petra.

Petra podía ser el estereotipo de todas las militantes de entonces: baja, morena, con pantalones vaqueros que jamás apeaba; ni guapa ni fea; silenciosa y servicial. Incolora. Inofensiva. Era valiente, pero como lo son ciertas mujeres. Acudía a las citas clandestinas, pasaba la propaganda, se arriesgaba sin quejarse, sin publicarlo, convencida de que la vida había añadido a las particulares gabelas de su naturaleza femenina, como sufrir la regla o parir, aquel otro dolor de ser revolucionaria. Una vez caí enfermo, con fiebre. Por entonces yo vivía ya en una pensión. Dolly estaba en uno de sus viajes, y acudió ella todas las tardes a cuidarme. Me traía bollos de una pastelería cercana. Hacía aquello, obra y hora de misericordia al fin y al cabo, sin sospechar que lo fuera, sólo porque sentía la necesidad de acercarse al dolor, pues había caído, sin saberlo, ella sí, en esta orilla y no en aquella otra de las hermanitas de los pobres. También a ella la detuvieron en la famosa redada de Gaztelu. Al salir de la cárcel sus padres se la llevaron de V. y no volvimos a verla. Me escribió después algunas cartas y luego, como tantos, se perdió Dios sabe en qué caridades, en qué afligidos caminos.

La vida de Rei carecía de esos tintes apostólicos de nuestra camarada. Sin embargo la vida de él, a medida que han ido pasando los años, se ha ido revistiendo de cierta grandeza que entonces no parecía que tuviese. La de Petra ha quedado reducida a una estampa ejemplar. La de Rei, por el contrario, resistió los colores siempre ingenuos del realismo socialista. Para empezar, su relación con Celeste.

Rei se enamoró de Celeste y Celeste de Rei. Casi desde el principio. Estaban hechos una para el otro, y al revés; la belleza de ninguno de los dos podría haberse sustraído a la llamada de la belleza del otro. Lo mantuvieron en secreto un año, porque era en ese secreto donde Celeste estaba más segura. A Rei le habría gustado haber encontrado en Celeste una verdadera revolucionaria, en el sentido gorkiano. Se tuvo que conformar con una novia convencional. Y a Celeste, lo mismo; habría sido feliz en una relación más o menos sofisticada, pero sin sobresaltos, y no en la inquietud y sobresalto continuo que era su vida al lado de Rei.

El caso del camarada Gaztelu fue diferente.

Gaztelu llegó a hacerse famoso en V. por una delación, aquella precisamente en la que incluyó mi nombre. Pero antes lo había sido por guapo.

Creo que ha sido el hombre más asombrosamente guapo que haya yo encontrado nunca. Uno ha visto después hombres guapos en el cine, en las revistas, en los anuncios. Ninguno como Eduardo Gaztelu. ¡Qué hombre! Era uno de esos jóvenes que gustaba a todos, a las mujeres y a los hombres. Aquéllas ni siquiera se atrevían a sostenerle la mirada, por miedo a caer fulminadas, y a éstos les dejaba su belleza en el ánimo un vago desasosiego, los posos del alma un poco revueltos de tener que reconocer que un hombre les podía gustar incluso a ellos. Esto él lo sabía perfectamente y aunque tenía fama de conquistador, sus manos, largas, románticas, lisztianas, nunca desatendieron las miradas de nadie, lo que le daba a él un aire ambiguo.

Había nacido en el mismo V. Su madre era viuda y dueña de una funeraria. Yo nunca había conocido a nadie que fuera dueña de una funeraria, y un día fuimos con él y en aquel coche tétrico a tirar panfletos, a las tres de la mañana, por las calles vacías de Salmerón, un pueblo cercano de V., lo cual fue cosa de ver.

Después de su delación, los propios camaradas trataron de difamarle metiéndole en el saco de los homosexuales, a los que en principio no se daba en el partido mejor trato que en la Alemania nazi a gitanos y judíos.

Esta imputación unos la creyeron y otros no, pero surtió efecto, porque al poco la mayoría empezó a propalar que Gaztelu siempre había hecho a pelo y a pluma, como quien dice.

A mí me parece que pluma no tenía. En cambio tenía un pelo a lo Jesucristo extraordinario, medio rubio, medio castaño, sedoso, largo, que parecía que anunciaba un champú, y los ojos también de Jesucristo, color miel con largas y cadenciosas pestañas.

Sus responsables en el partido, muy celosos siempre de nuestro aseo personal, le ordenaban que se lo cortara de vez en cuando. Él no se atrevía a decir que no, iba a la peluquería, se lo recortaba unos centímetros y con eso le dejaban tranquilo seis o siete meses.

Gaztelu había ya fundado cinco o seis grupos de teatro, a los que bautizaba con nombres del momento: Bieldo, Carcoma, Alcor.

Al contrario de lo que ocurría con algunos cantautores, que venían desde Cataluña y Valencia, y a los que la autoridad debía haber multado no por el contenido de sus canciones, sino por sus desafinos, los grupos de teatro de la localidad no conocieron la suerte de las multas ni el estigma de las prohibiciones, que Gaztelu perseguía de una manera espúrea.

Era el mismo Gaztelu quien escogía las obras y repartía los papeles entre sus seguidores y partidarios. Decía: «Tú, tú y tú, hacéis esto, y tú, tú y tú, de lo otro.» Todos veían bien que los papeles de protagonista se los reservara él, así como que le diera a su novia ocasional el de la protagonista.

En realidad, Gaztelu no llegó nunca, que yo recuerde, a tener novias, sino compañeras. Te las presentaba: «Fulanita, mi compañera.»

Siempre que podía se desnudaba en escena, se quedaba con unos ajustados y mínimos calzoncillos atarzanados y empezaba a dar carreras por el escenario y a tirarse al suelo, a bajar al patio de butacas y a subirse al decorado a fin de que pudiera admirársele el cuerpo que tenía en toda la gama de escorzos y posturas.

Era bastante mayor, cuatro o cinco años más que yo, y había repetido algún curso. Cuando yo estaba en primero, él estaba ya en quinto.

Al poco de conocernos, Gaztelu me preguntó si quería hacer teatro con su grupo. Le dije que no. Nunca llegó a aceptar algo tan sencillo. Se quedó estupefacto. Era incapaz de comprender que alguien pudiera decirle no a él y al teatro el mismo día. Por ese orden.

Desde entonces Gaztelu y yo nos mirábamos de

una manera reservada. Yo le estudiaba, le observaba desde mi perspectiva y él, desde la suya, me ignoraba olímpicamente.

La primera función que yo vi de su grupo no me acuerdo cuál fue. La segunda era una pieza corta de un empleado de correos, partidario del surrealismo, según se decía en un programa de mano. Se trataba de una obra absurda donde los personajes decían cosas como «las delicuescencias carnavales del crepúsculo» o «el simulacro feroz de las angulas».

Uno de los días más felices de su vida, antes de caer en desgracia tras la delación, fue cuando el ministerio de Información envió a un simpático y bien dispuesto delegado-censor para el pase preceptivo anterior al estreno. El censor, un cabroncete inofensivo, vio la función con una sonrisita tan conspicua y recortada como su fino bigote. Cuando se fue, estampando su aprobación en un papel timbrado, Gaztelu exclamó lleno de júbilo: «No se ha enterado de nada.» Tampoco el público se enteró de nada la tarde del estreno. Que el censor no hubiera comprendido su obra, Gaztelu lo encontraba perfectamente lógico. El que no la comprendiera el público lo achacaba a las condiciones objetivas, poco favorables todavía para un arte revolucionario. Se trataba de *El gran teatro del mundo*. Gaztelu lo subtituló «una lectura dialéctica de la historia y el poder», pero lo anunció como «un clásico de hoy». Dijo: «Es una adaptación.» El rey aparecía vestido con una casulla, mallas de ciclista y un orinal en la cabeza, mientras el mendigo traía colgado, a modo de tizona, el hueso mondo de un jamón, y por zapatos unos de señora de tacón alto. Que el censor no le hubiera quitado lo de la casulla a Gaztelu le parecía ya el colmo de la ineptitud, porque, como les sucedía a muchos entonces, a fuerza de ser censurado había llegado a adoptar, comprender y prever los puntos de vista del censor, como si pensara para sus adentros: «Si fuera yo el censor, vaya si sabría qué es lo que habría o no que censurar.»

A Gaztelu le detuvieron dos veces. Una después de aquella manifestación tras de la cual Lola y yo nos perdimos en un pinar.

Salió de esa primera detención más crecido que nunca, con una sonrisa de malabarista, sin que se le acusara de nada. Lo consideró un gran triunfo, algo así como haber pasado un control de calidad revolucionaria. Pero la sonrisa le duró poco, un año nada más.

Al año de aquella primera detención empezó a saberse en V. que la policía le buscaba por todas partes, a causa de sus intervenciones en las asambleas, cada vez más audaces e incendiarias. Eran las asambleas que se hacían para hablar del proceso 1001.

El mismo día 20 Gaztelu, tras la asamblea, cometió la intrepidez de abordar un «milquinientos» de la policía, aparcado frente a la facultad, y romper su parabrisas con una barra de hierro.

Aquel golpe de efecto causó sensación. A las dos horas se sabía la gesta en todo V. y a los dos días le detuvieron cruzando una calle. Se bajaron tres policías de paisano, le echaron mano a los maravillosos pelos y lo metieron en un coche.

Por la noche, durante el interrogatorio que siguió a la detención, uno de la brigada político-social, tristemente famoso con el nombre de Billy el Niño, le animó a tener una charla: «Cuenta por qué rompiste con una barra de hierro el parabrisas del coche donde estaba yo.» Gaztelu, todavía entero, se le engalló: «Yo no he roto ningún parabrisas. A esa hora estaba en el bar de la facultad. Tengo testigos.» Después de oírle eso Billy el Niño, sin más contemplaciones, le arreó un guantazo en la boca con el revés de la mano. Gaztelu se cayó de la silla, se levantó del suelo y se pasó la lengua por la comisura del labio. Le supo a salado. Sangraba un poco. Luego el policía, en un susurro de voz, volvió a repetirle la pregunta, pero Gaztelu esta vez permaneció callado. Entonces Billy el Niño miró a su alrededor. Según se contaba entonces y se contó luego, ya con la democracia en España, Billy el Niño era un hombre de recursos.

En aquella ocasión el policía descubrió en una papelera una botella de coñac vacía. La cogió, se acercó a un radiador y le asestó un golpe brutal. Salieron por los aires hechos añicos muchos cascotes de cristal. Un colega que estaba resolviendo crucigramas en la mesa de al lado pegó un brinco en la silla, pero cuando vio de qué se trataba, volvió a enfrascarse en el periódico y se desinteresó de lo que le rodeaba. Billy el Niño acercó entonces el cuello astillado de la botella a la mejilla de Gaztelu. Luego le persuadió: «Te voy a cambiar esa jodida cara de niñaza.» Entonces Gaztelu se echó a llorar y el policía, personalmente, tomó su declaración en una primitiva máquina de escribir. A los tres días el juez tenía una declaración de siete folios firmada por

Eduardo Gaztelu Arias, en la que acusaba a treinta y siete personas, incluido uno de sus hermanos, de los cargos más previsibles y de los menos previsibles, verdaderos y falsos.

Cuando se tuvo conocimiento de la cantada de Gaztelu, la conmoción fue sísmica. Cada cual se movió donde se encontraba en ese instante. Nadie se lo hubiera esperado. Las altas instancias del partido se reunieron, se despacharon instrucciones en todos los sentidos, se cambiaron de escondrijo las viejas multicopistas y se reforzaron todas las medidas de seguridad.

A través de Tejero nos llegó el aviso de una reunión urgente. Era diciembre y hacía mucho frío. Las nieblas de V. no sólo eran espesas, sino húmedas y malsanas. Quedamos citados en un pequeño bar de un barrio extremo. Qué amor por las afueras. El bar estaba adornado con cadenetas multicolores y habían pegado en un espejo unos copos de algodón y escrito con blanco de España y sobre una plantilla de cartón recortado, «Felices Navidades». Al entrar se me empañaron las gafas. Había unos hombres jugando en una mesa a las cartas. Me quedé junto a la puerta. Los jugadores dejaron por un instante la partida y me examinaron con suspicacia. Al fondo me esperaban Rei, Tejero y Petra. El dueño también me echó una ojeada llena de recelo.

Tejero nos resumió la situación.

Sabía que Gaztelu había dado, entre muchos otros, el nombre de nosotros cuatro. Luego preguntó: «¿Quién está a favor y quién en contra para que se le dé a Gaztelu un escarmiento?» «¿Hay que votar eso?», recuerdo que imploró Petra asustada.

Rei había escuchado a Tejero en silencio.

–Todo eso es una mierda –fueron sus palabras, que pronunció sin levantar los ojos de la taza de café.

–¿Qué? –acusó sorprendido Tejero, que no se esperaba un golpe por ese flanco.

–Si se vota eso, somos todos una porquería.

Se entabló entre ellos un duelo a muerte. De las represalias se pasó a hablar de la pena de muerte y Tejero, acalorado, abordó la cuestión por el lado más alto:

–No me vas a decir tú a mí que no estás de acuerdo con la pena de muerte para los contrarrevolucionarios.

Por más que no querían alzar la voz, a veces no podían evitarlo. Los que estaban jugando levantaban los ojos de las cartas y se nos quedaban mirando. El dueño nos advirtió:

–Aquí no se viene a hablar de política. Si queréis hablar de política –amenazó–, a la calle.

Adujo Rei tantos argumentos que Tejero no tuvo más remedio que callarse. Se le veía rumiar rencoroso una respuesta. No se sabía qué le dolía más, si la potencia dialéctica de su amigo o lo inesperado de aquella salida de la ortodoxia.

Tejero no dio su brazo a torcer. Siguió exigiendo para Gaztelu un escarmiento ejemplar. El mismo Tejero era de un rigor extremo, como lo prueba que fuese partidario de los «ejercicios de tortura», que él y algunos más, con carácter voluntario, se infligían para afrontar los interrogatorios policiales, cuando se presentasen. Como el que logra hacerse inmune a un veneno tomándolo cada mañana, con el desayuno, en pequeñas dosis, estaba convencido de la virtualidad que aquellos ejercicios que consistían en quemarse cigarrillos encendidos o meter los dedos en un enchufe.

Cuando aquella fría mañana de diciembre Tejero estaba pidiendo un escarmiento ejemplar para Gaztelu, no era cosa de tomarlo a broma.

Con la voz sucia y la mirada torva, añadió:

–Vamos a votarlo.

De todos los labios, sucesivamente, uno, dos, tres noes pronunciados con el temor del que sólo ha consultado a su conciencia.

A las dos semanas supimos que a Gaztelu, en la cárcel, le habían propinado una paliza brutal algunos de los que él mismo había denunciado. Tuvieron que practicarle catorce puntos de sutura en la cabeza y la hinchazón de la cara tardó en desaparecerle un mes. Gaztelu, a su vez, no acusó ni denunció a nadie. Eso confirmaba las tesis de Tejero, que vio reforzado por ello su poder en el partido entre todos los camaradas.

9

Lo que ocurrió entre Lola y yo aquella tarde en el pinar me desconcertó no menos que lo sucedido la noche anterior con Dolly.

Cuando empezaron a tenderse las sombras de la tarde entre los pinos y a callarse los pájaros, acusé la melancolía del lugar y de la hora:

–Es un sitio lleno de misterio. Todos los días habrá un minuto igual que éste, pero ya no estaremos nosotros. ¿No te pone triste eso?

–¿Saber que cantarán los pájaros y que nosotros no estaremos aquí para escucharlos? ¡Qué cosas se te ocurren en un momento como éste! Yo nunca pienso en la muerte. Ahora, vámonos. Celeste estará preocupada por mí.

Volvimos caminando en silencio. Cruzamos el puente de hierro y empezamos a recorrer la Rosaleda, junto al río. Ese mismo día cambió el tiempo. A pesar del frío, quedaban todavía unas cuantas barcas cuyos ocupantes, parejas de novios y soldados de reemplazo, remaban con esta torpeza de los que han nacido tierra adentro, lejos del mar.

–¿Te encuentras bien? ¿Qué tal estás? –pregunté

sin una finalidad concreta, sólo porque supuse que quizá quisiera hablar de ello.

Llevábamos media hora caminando en silencio.

–Estoy bien, estoy contenta, créeme. Me gusta que haya sucedido así, contigo. Nunca imaginé que fuera de esta manera.

–¿Cómo?

–Con alguien que no conozco apenas. No podría explicártelo con palabras. He salido ya con bastante chicos. Algunos me lo habían pedido antes y yo les dije que no. Ahora llegas tú, no me lo pides, y digo que sí. Fue muy raro. Hace un año leí *Por quién doblan las campanas*, de Hemingway. Es muy buena. Allí sale una mujer joven que se acuesta en el campo con un hombre y que nota, por primera vez en su vida, que mientras su amante la posee, hay un momento, el de mayor apasionamiento y deseo, en el que le falta tierra debajo de su cuerpo, como si se quedara en el vacío, con todo el peso del cielo y de las nubes en el vientre, un peso cósmico sin tierra debajo que la sostuviera a ella, como esa grieta que se abre bajo los pies durante un terremoto. Desde que leí esa novela, he pensado a menudo en eso y me preguntaba cómo sería la primera vez que yo lo hiciera y si a mí también me ocurriría eso mismo de sentir que el campo se abría debajo de mí.

–¿Y cómo ha sido? ¿Sucedió exactamente como te lo imaginabas?

–Sí y no. Tenía la cabeza demasiado ocupada en otras cosas como para pensar en si sentía o no el mundo bajo mi cuerpo, pero tampoco quería dejar pasar esa oportunidad de saber algo que me había intrigado durante tanto tiempo. Y luego sucedió algo extraño. Tuve una sensación física muy plástica, como si todo mi cuerpo fuera..., no sé, cremoso.

–¿Como un pastel de manzana?

–Podría ser, sí. Lo de Hemingway, aún; pero lo segundo, ¿no te resulta inexplicable? En cuanto al resto te diré algo: no encuentro que eso sea para formar tanto alboroto.

Dejé a Lola en la puerta de su residencia. Desde ese día, hasta hoy, jamás volvimos Lola y yo a hablar de aquel primer encuentro. No era siquiera nuestro secreto, sino más bien algo que ambos hubiéramos soñado a la vez y olvidado a la vez, como a veces ocurre en sueños, que uno está soñando algo y piensa: «Éste es un sueño maravilloso, pero sé que es un sueño. Cuando te despiertes, en cuanto abras los ojos, fíjalo en la memoria, tráetelo al mundo de lo real, porque si algo hay frágil es un sueño feliz», a pesar de lo cual uno se despierta y dos segundos después se pregunta con desesperación cómo era ese sueño, porque fatalmente, nacido de las sombras más compactas, se ha convertido al contacto de la luz del día en fino polvo, un montón de nada, una mancha informe sobre la conciencia. Esto puede decirse que me ocurrió, que nos ocurrió a ambos, con aquel hermoso episodio. Si no volvimos Lola y yo a referirnos a él no fue porque no quisiéramos. Ni siquiera por pudor. Se debió a algo más sencillo: nada podíamos decir de aquello, porque no dejó más constancia en nuestra memoria que la que entre los dedos deja la mariposa que consigue volver a ser libre en el aire, dando tumbos hasta perderse.

En la puerta de la residencia nos encontramos con Celeste. Estaba seria, triste, muy guapa. No dijo nada a Lola. A mí me sonrió, pero no con los ojos o los labios, sino con el más remoto temblor de su alma, como si aquella sonrisa le costara un esfuerzo supremo.

Camino de casa de Dolly pensé en Celeste. Pensé en Lola. «Dolly, Lola, Celeste...» Me sonreía a mí mismo como ese jugador que lleva esperando toda la noche una buena mano, hasta que de pronto le llegan tres buenas cartas, sin que sepa entonces qué hacer con ellas.

Salió a abrirme una Dolly llena de risas por todas partes, igual que un ramo de claveles. Me estaba esperando con una cena por todo lo alto, que había preparado ella misma, con velas y cubiertos de plata.

–¿Qué celebramos? –pregunté.

–Nada.

Dolly estaba muy animada y habló de esto y de lo otro, sin dejar de servirme y llenarme la copa con un vino blanco frío y seco, como sus propios labios. Pero tampoco el vino consiguió borrarme el recuerdo de lo ocurrido en aquel día tan largo. Largo y lleno de contrastes.

Después de cenar, nos sentamos en aquellos sillones modernos tan imposibles y yo titubeé: «¿Se lo digo o no se lo digo?»

Dolly sólo quiso saber si yo estaba enamorado de Lola.

–Ayer –admití–, te habría respondido que sí. Hoy sé que no.

Jamás volvió Dolly a preguntarme nada sobre Lola.

Era difícil explicarme lo que sentía al lado de Dolly. Siempre ocurrió así. Ocurrió la primera vez y volvió a ocurrirme siempre con ella. Al principio era como si el deseo estuviera adormecido, pero su voz, aquel perfume, aquellos ojos que reían como jamás había visto yo, el tacto de su ropa, lo despertaban poco a poco.

Dolly no hacía planes nunca sobre el futuro, ni para ella ni para ninguno de los que tenía alrededor. Tampoco hablaba de la vida. Se limitaba a vivirla.

Por lo demás, y como supe más tarde, la de Dolly era sencilla.

Resultaba evidente que era una mujer de notables recursos. Había estado casada hacía años en Sudamérica, pero de ese matrimonio no le gustaba hablar. Su tiempo lo empleaba en yo no sé qué, pero pasaba la mayor parte del día fuera de casa y –cosa rara en aquella ciudad de la meseta– montaba a caballo. Era de admirar verla en su traje de amazona, con amplia falda negra y botas charras. Incluso ella misma parecía haberse contagiado del carácter de los pura sangre, nerviosa, elegante, imprevisible. Viajaba a menudo a Madrid, donde se reunía con los abogados y agentes que administraban su dinero, pero era en V. donde pasaba la mayor parte de su tiempo y llevaba una vida social intensa y variopinta. Daba la impresión de que el no ser de allí y no tener familia en la ciudad hacía de ella una mujer más libre aún e inesperada.

En V., Dolly tenía muchos amigos. Era sorprendente. Conocía a todo el mundo y la invitaban a todas partes. Desde el primer momento la acompañé a muchas de aquellas cenas, donde se mezclaban hombres de negocios, médicos famosos en V. y abogados. Gentes entre los treinta y cinco y los cincuenta años. Eran reuniones y veladas donde a las mujeres les estaba reservado el curioso papel de ser trescientos sesenta y dos días al año fieles esposas de sus respectivos maridos, y el resto amantes ocasionales de alguno de los amigos de sus maridos, todo ello dentro de esas normas provincianas y puritanas que hacen del adulterio más que un deseo una eventualidad desagradable.

Al principio supuse que sus viajes a Madrid estaban motivados por alguna razón amorosa, además de las familiares o de negocios. Pero no.

No era Dolly una mujer promiscua en absoluto. Sólo después de unas semanas Dolly me habló cierta noche de un viejo amante. No quiso entrar en detalles. Me habló de él de una manera enigmática. Me dijo que estaba casado, que vivía en la misma V. y que cada cierto tiempo ella sentía la necesidad de verle. No era nadie que ella me hubiera presentado.

Cuando tuve conocimiento de aquello, reaccioné con el egoísmo de un niño. Me sentí traicionado y preterido. Era absurdo, pero la herida fue profunda.

Con todo, las horas pasadas a su lado volaban sin que se sintieran. Era incansable contando historias. Conocía cientos de vidas, cuyos argumentos diversos ella recogía y trenzaba en un relato común apasionante. Historias donde el dinero, las relaciones amorosas, las traiciones, ambiciones y fracasos iban apoderándose de mí no tanto por su intriga o la grandeza de sus personajes, que no podían ser muy grandes porque en su mayoría vivían en V. No. Incluso la ciudad actuaba como fondo de cuadro, un fondo oscuro y neutro cuyo cometido era realzar el trazo moral y la expresión. Eran historias admirables sólo por cómo Dolly las desplegaba ante mí igual que un tapiz, al que al final daba la vuelta para señalarme costuras, hilos, secretos de telar. Era un mago al que no importaba participar los trucos. Contaba las cosas con la pasión y escepticismo de un maestro de la comedia humana. Yo me dejaba modelar por ella. Tenía la sensación de que estaba haciendo de mí algo de valor, y si discutíamos no era raro comprobar al final que sus razones estaban mejor elegidas y eran de más fundamento que las mías.

Se ufanaba de ser una persona intuitiva, de esas que tienen fe ciega en su instinto. Para probarlo me ponía a mí como ejemplo, la manera en que nos habíamos conocido. «Al principio –me repitió luego muchas veces, cuando recordábamos aquel encuentro– me dio pena verte desvalido, sin tener a dónde ir. Pero a las dos o tres horas comprendí que eras mucho más que un pobre joven desvalido, que podría ser mi hijo.» Y lo repetía una y otra vez, para demostrarme a mí que por el hecho de haber actuado conmigo de manera tan extraordinaria no podía ponerse en entredicho una conducta como la suya, que jamás había conocido situaciones excepcionales, sino que lo había hecho empujada por su intuición infalible. Pero no era exactamente así. Es verdad que Dolly no era una mujer alocada ni mucho menos una de esas ricas extravagantes que se tiran a la calle en busca de aventuras tanto más excitantes cuanto más peligrosas o imprevistas, pero tampoco

FASCINADO

DOLLY / MATERNAL

era la mujer con la intuición poderosa que ella creía poseer. Es más. No creo que Dolly fuera especialmente intuitiva, sino que la rapidez de sus juicios y una agudeza poco común la tenían engañada haciéndole creer, quizá por modestia, que era intuición lo que no era sino muy grande inteligencia.

Me gustaba mirarla, verla andar por su casa, leer en silencio. Me quedaba contemplándola, riéndome con ella, sentado junto a ella. Silencio, risas, sueños.

La ciudad le parecía deplorable, provinciana. No ya pretenciosa, sino presuntuosa. Pero la soportaba con gracia y porque cada diez días pasaba dos o tres en Madrid, sin contar los viajes que hacía fuera de España cada cinco o seis meses.

Llegamos a un punto en que la sinceridad del uno para con el otro era total. Por eso me pareció deslealtad por mi parte no participarle el único secreto que para mí tenía algún valor, y le hablé de Rei, del partido, de la vida medioclandestina que llevábamos en la universidad.

En aquella ocasión me escuchó con gran reserva. Yo creo que nunca quiso herirme, pero comunismos, universitarios, criptografías y estratagemas le interesaban poco. Sin embargo siempre me escuchó con interés todas aquellas pequeñas cuitas de mi vida, que yo le mostraba con la misma pasión que el chico que vacía sus bolsillos, ante la mirada incrédula de los mayores, de valiosos y estrafalarios tesoros atrapados en la calle.

Le divertían, o así me lo parecía a mí, ciertas maneras mías toscas, o mis descuidos, o esa brutalidad del que no ha olvidado del todo los juegos salvajes de la adolescencia.

Pero me he adelantado mucho a los acontecimientos.

Viví en su casa dos días más. Dolly me dijo que podía tomármelo con calma y permanecer en su casa el tiempo que quisiera. Pero no.

Conseguí de mis padres permiso para que me dejaran alojarme no en un colegio mayor, como era su deseo, sino en una pensión.

A aquella primera pensión siguieron otras, todas iguales, con sus manchas de humedad en el techo, sus papeles pintados pálidos y viejos, sus colchones que olían a una mezcla entre orines y lejía, sus patronas locas, sus ruidos extraños en mitad de la noche y las cisternas de sus retretes estropeadas, dejando escapar a todas horas un agua gimiente y ferruginosa. Permanecía en una de aquellas pensiones unas semanas, me cansaba, metía mis cosas en las maletas –había tenido que comprar la pareja– y volvía a arrastrarlas por las calles de V.

Y así fue transcurriendo el curso. Asambleas, exámenes parciales, conatos de manifestación que duraban dos o tres minutos, cursillos leninistas, reuniones de célula. Lo de costumbre.

Después de aquella orden según la cual a los camaradas no se les podía ver juntos en público, Rei y yo dejamos prácticamente de vernos.

Y lo mismo ocurrió con Lola y Celeste. Lola evitaba verme a solas, encontró pronto a otros amigos y con ellos formó una pandilla de inseparables y exclusivos. Lo de Celeste fue, en cambio, más misterioso. Nadie, ni la propia Lola, conocía los pasos de Celeste. La mayoría de las veces salía sola y volvía sola. A veces con una compañera de residencia, de pasos no menos extraños, y de una fealdad que causaba espanto.

Un día Rei, sin embargo, me citó para hablarme de un asunto personal.

–Celeste y yo salimos juntos desde hace seis meses.

Jamás me habría esperado una revelación así.

Del mismo modo que cuando Dolly me dio a conocer su relación con su antiguo amigo sufrí, sentí entonces la confidencia de Rei traspasarme el corazón como una larga aguja.

Me sentí engañado por Rei, por Celeste. Como siempre, las razones de que yo llevara en secreto mi relación con Dolly, las comprendía bien. Las razones de Rei y de Celeste, en absoluto.

–Hemos decidido –continuó explicando– no decirle a nadie que salimos juntos y debes jurarme que tú no lo dirás a nadie. Lola, sí, lo sabe. Pero Celeste no quiere que lo sepa nadie más. Ni siquiera tú. Tiene miedo. Miedo de que la vean conmigo, de la policía, de mi vida...

Rei estaba confuso. También él necesitaba contárselo a alguien...

Creo que mis consejos no le sirvieron de nada. La manera de ponerme a su altura habría sido revelarle mi relación con Dolly, sin ocultarle el sufrimiento que me causaba que Dolly siguiera viéndose con un viejo amante. Pero no lo hice. Me limité, de una manera vaga, a referirle que había tenido una aventura con una mujer casada.

Su sorpresa no fue menor que la que él me había causado minutos antes, aunque me di cuenta de algo. Mi revelación le podría alegrar algo; ahora, importarle, poco que le importaba, porque la pregunta que me hizo fue de las que no se olvidan:

–¿Puedes soportar la idea de compartir una mujer?

–Yo no comparto nada –le corté, malhumorado.

Y nos quedamos en silencio, sin saber qué camino tomar en aquella conversación, en la amistad y en nuestras relaciones.

Pensé en Dolly, pensé en Celeste y miré a Rei. Decidí tirar por el camino del medio.

–¿Nos emborrachamos? –le pregunté.

En el partido nos lo tenían prohibido, pero esa noche Rei y yo terminamos vomitando por todas las esquinas del barrio viejo y a las cuatro de la mañana una mezcla repugnante de ginebra y los restos de una cena barata.

Aquella noche, Rei creyó emborracharse por Celeste y yo creí hacerlo por Dolly o quizá por Celeste, pero lo cierto es que nos emborrachamos por nosotros mismos, a causa de todo lo que no comprendíamos, no en ellas, sino en nosotros.

A Rei no le hacía daño la cobardía de Celeste, sino el miedo que le causaba sentirse enamorado de alguien tan diferente de él. Y a mí no me hacía daño la independencia de Dolly, ni los celos por aquel amigo que Dolly decía ver de vez en cuando, ni su vida tan superior a la mía y tan hecha ya, sino mi fascinación por todo ello y mi dependencia de su ternura y de sus noches y de sus risas. Y tampoco me hacía daño que Celeste hubiera elegido a Rei, sino mi propia timidez para acercarme a ella. Y lo mismo: no tanto todos estos secretos, como sus frutos amargos, híbridos siempre de confidencias a medias, suspicacias y falsas suposiciones.

Jamás supo Dolly lo ocurrido aquella noche de farra triste. Había, como digo, iniciado mi madurez por el sendero de los secretos, y los secretos, como es sabido, son siempre una pequeña infidelidad.

Al llegar los exámenes finales de primero, iba a casa de Dolly a menudo y en esas ocasiones me quedaba estudiando y tomando el café que ella me guardaba en un termo. Cuando empezaba a amanecer, me levantaba, salía a la terraza y contemplaba aquel trozo del mundo que era el río, la arboleda, el canto de los pájaros, aquella luz liviana y fresca que semejaba las enaguas del verano.

Salí bien de los exámenes, contra el vaticinio de mi padre, que desde mi pelea con su hermano Narciso me había augurado un fracaso monumental no sólo en los estudios, sino en la vida. Ante las notas tuvo que resignarse, pero seguía creyendo, deseando, mi fracaso en todo lo demás, no sé si para que eso le diera a él la razón o sólo por el gusto de recordarme: «¿No te lo decía yo?»

Llegó julio, me despedí de todos los amigos, de Dolly, de Rei, de Lola y de Celeste, de todos, y volví a ***. A las dos semanas de vacaciones V. quedaba lejos, lo mismo que sus luchas, mis reuniones de célula, las manifestaciones, mis cambios de pensión. Todo como esos vilanos que dispersa el viento tórrido del verano. Sólo Dolly seguía presente. Nos escribimos con frecuencia. Ella contestaba mis cartas con otras en las que me parecía percibir un eco de su perfume.

–¿Quién es esta Paloma? –me preguntó mi madre la primera vez que llegó una de estas cartas, señalando el remite.

–Una compañera de clase.

Eso la tranquilizó, por esa simpleza de las madres, a las que una sonrisa basta para hacerlas creer que están al corriente de un asunto del que lo ignoran absolutamente todo.

El día del Carmen volvieron los Benavente a darse cita en nuestra comida anual, que coincidía, como era sabido, con el santo de la abuela. Reinó todo el día eso que enorgullecía más que cosa ninguna a mi padre: la armonía Benavente.

Mi única obsesión ese día fue evitar en lo posible al tío Narciso y a la tía María Eugenia, a los que no había vuelto a ver desde nuestra ruptura. Fue él, sin embargo, quien me descubrió en la puerta del restaurante.

–Ladrón, no se te ve por ninguna parte. ¿Qué tal ha ido todo? Trae esos cinco. No seas chiquillo. Aquello pasó, y pasó.

Era de nuevo el tío Narciso que todos conocíamos, con sus recursos, sus dotes sociales, su optimismo. «¿No vas a dar un beso a tu tía?», me requirió luego, y a continuación, y delante de mi padre y de otros más que nos habían ido rodeando, juró que estaba incluso interesado en buscarme un buen trabajo, compatible con la universidad, si seguía teniendo la idea de trabajar, y que le encantaban las nuevas generaciones... Nos dejó a todos, sobre todo a mí, boquiabiertos. Me pasó incluso el brazo por el cuello y así, con su felicidad al hombro, me acompañó hasta mi sitio.

En la sobremesa hipnotizó a tres chicos a la vez

y a una gorda que no era de nuestra comida, pero que estaba comiendo en una mesa próxima y que quedó entusiasmada con aquellos experimentos. Nos reímos todos mucho, terminó la fiesta y sólo cuando estábamos todos despidiéndonos de todos, se me acercó el tío Narciso y me dijo en un aparte:

–No dejes de venir a vernos el año que viene. Y otra cosa. ¿Conoces a un tal José Rei? No te conviene.

Aquella vez tengo que reconocer que su golpe de efecto me había sorprendido a mí también.

–¿De qué conoces tú a Rei?

–Eso da igual –concluyó en un susurro–. Hazme caso. No te conviene.

No afloraba en esas palabras el tono amenazante del que sabe más de lo que quiere decir. Noté incluso una expresión paternal.

–Tío...

Traté de retenerle, pero se había metido ya en su coche y con el brazo fuera de la ventanilla se despedía de nosotros con bromas y frases que sabía escoger para cada uno en especial. Era, sin duda, el más célebre de toda mi familia paterna.

10

Naturalmente cuando regresé a V. para empezar segundo curso, esta vez como alumno oficial, pese al disgusto de la secretaria del decanato, cuando regresé a V., digo, no fui a ver a mi tío Narciso. Mi padre me repetía: «Tu tío ha dicho que vayas a comer los domingos a su casa», pero yo no acudía. Al principio mi padre se ponía furioso conmigo por hacerle aquel agravio a mi tío, hasta que comprendió que no conseguiría nada dándome gritos, y se limitaba a transmitirme de vez en cuando con resignación: «Me ha dicho tu tío que no has aparecido por casa.» Aquella insumisión fue la primera fisura seria en su autoridad paterna.

Con el pretexto del ahorro, le convencí de que resultaba más económico que yo alquilara un piso con otros compañeros de estudio, antes de seguir con aquella locura que era la trashumancia por las pensiones. Mi padre, que no había sabido imponerme la residencia de estudiantes ni las visitas dominicales a casa de su hermano, tampoco encontró argumentos para negarse a lo que en el fondo le parecía la puerta del libertinaje, y se encogió de hombros. De manera que a mediados de octubre dejé para siempre aquellos hospedajes galdosianos de aceite bajo candado y agua caliente dos días por semana, y, tras un intento fallido de irme a vivir con dos camaradas, me sumé a la caravana de tres compañeros de segundo de comunes.

Encontramos, como ya he dicho, un piso en alquiler en la calle de Agustín Espinosa. Esta calle, en un extremo de Las Delicias, era la ronda que discurría paralela a las vías del tren, de las que aquélla quedaba separada por un murete de dos metros de alto. Roído en algunos tramos, la gente había practicado en el triste paredón unas gateras por donde se colaba para cruzar al otro lado, evitando así una pasarela que pillaba siempre a trasmano. También los vagabundos encendían a lo largo de ella sus hogueras, que se podían ver dispersos los rastros del humo y los montones de ceniza fría.

Se oían pasar los trenes a todas horas, de mercancías, correos, de pasajeros. Por la noche, de día, cada media hora. Hacían sonar sus quejumbrosos pitidos y en los días de mucha niebla en V., parecía incluso que nos mecían las sirenas de barcos, pues la humedad de la casa y la congoja del aire nos hacían creer en un puerto de mar, en el mismísimo muelle de las brumas de Carné.

La trasera de la casa lindaba con aquel muro y las vías. Yo elegí un cuarto que daba directamente al paisaje ferroviario. Desde mi habitación se contemplaban por los menos veinte o treinta vías, unas a continuación de otras, muy juntas, con sus uniones, curvas, topes y agujas, y aquí y allá, en tramos muertos, algunos trozos de convoyes mineros, plataformas herrumbrosas y vagones descabalados, como tomos de una biblioteca dispersada a los cuatro puntos cardinales.

El nuestro era un primer piso, desde el que, si fuera preciso en una huida rocambolesca, podría uno escapar sin esfuerzo con sólo saltar, librar el muro y caer del lado contrario, sobre un colchón de basuras y desperdicios. La gente los tiraba desde los pisos de arriba e incluso desde la calle, volteando las basuras con destreza, como si lanzaran con honda. Había que tener cerrada la ventana todo el día, porque si no se metían dentro unos olores picantes a gato muerto y naranjas podridas.

Yo dispuse la mesa con el flexo niquelado frente a la ventana y gasté no pocas horas en contemplar aquel paisaje de vías, tras de las cuales se elevaban, como a doscientos metros, desolados y metafísicos silos y unas viejas lonjas de embarque. ¡Cómo me gustaba perder el tiempo mirando, contemplando aquel lugar, las máquinas poderosas y monumentales, los viejos vagones abandonados, la poesía de toda aquella naturaleza! ¡De qué violenta manera me hacían soñar aquellos largos pitidos que dividían en dos mis noches, trazando horizontes de realidad y sueño!

Mis nuevos compañeros de piso resultaron buena gente. Era la nuestra una comunidad de intereses, una tribu con ningún otro vínculo que las mil doscientas pesetas que pagábamos cada uno al mes, sin contar gastos de comida, luz y agua.

Los tres, por separado y por junto, daban una idea cabal de lo que se ha entendido desde Troya por estudiante. Uno salía cada viernes con la tuna, otro se pasaba las tardes estudiando y otro era lo bastante feo como para que un onanismo trágico le tuviera condenado a obsesivas manipulaciones.

Tenían los tres su peculiar manera de ser. Conocían o sospechaban mis actividades, que les traían sin cuidado. Alguna vez intenté catequizarlos y atraerlos a la causa, pero resultó inútil, porque no consentían entrar en otro terreno de conversación que no fuese el de los recibos de la luz o del agua, las comidas, los tunos, las mujeres, los exámenes, la masturbación o la televisión. Dos estudiaban con beca y el otro con apreturas no menores. Para ellos, de origen modesto, la universidad era un lujo que no podían ventilar en unas huelgas irresponsables ni jugando a conspiradores. Incluso sus juergas, sus salidas, sus modestas calaveradas limitaban siempre con la frontera del sentido común: aprobar el curso. Todo lo que no fuera eso, les dejaba indiferentes.

El de la tuna se llamaba Evelio, el estudioso Domi, es decir, Domiciano, y el onanista Floro, pero le llamaban Loro. Estos nombres, en cambio, que habrían venido bien como nombres de guerra, no lo eran. A mí siempre me han preocupado los nombres, por eso me fijo en ellos. Aquellos tres por el nombre habrían hecho un magnífico papel como militantes del partido, pero mira por dónde no querían saber nada que trasminase a política.

Empezó el curso y se llegó en un soplo al día del atentado de Carrero Blanco. Las movilizaciones en torno al proceso 1001, que debía iniciarse en el Tribunal de Orden Público precisamente ese día, quedaron interrumpidas.

Los más avezados mostraron su conocimiento de la jerga política y diagnosticaban:

–Esto es un salto de orden cualitativo en la situación que modifica de manera irreversible las condiciones objetivas.

Tampoco la policía sabía qué hacer. Pedían la documentación a la gente en la calle, por hacer algo, mantenerse ocupados y hacer creer a la población que todo estaba bajo control y en calma.

En los bares los parroquianos hablaban a media voz. Los transeúntes, con la mirada baja, se pegaban a los portales, con fervientes deseos de llegar cuanto antes a sus destinos y ponerse a resguardo. Nadie se atrevía a comentar nada en público y los que hablaban lo hacían en un susurro, como, y nunca mejor dicho, delante de un muerto. Las radios no cesaban sus emisiones de música fúnebre y en la televisión pasaban una y otra vez la película del estado en que había quedado el Dodge blindado del almirante. Se describía la trayectoria que había seguido hasta una azotea, tras la voladura; se mostraban primeros planos del cráter que había quedado en la calle de Claudio Coello y algunos porteros de las casas cercanas aparecían como testigos atónitos de algo que les producía tanto espanto como admiración.

A aquel día siguió el del entierro, con las imágenes de Franco dándole un beso a la viuda de su amigo en la iglesia, y el obispo de Madrid predicando la concordia con palabras que más tarde se iban a descifrar escrupulosamente por todo el mundo. En la televisión apareció el ministro Arias, que prometió encontrar y castigar a los culpables, y siguieron unos días de sordo terror, de miedo o de vagos temores, según los casos y las maneras de mirar las cosas. Unos, como mi padre, que me telefoneó alarmado para que volviera a casa de inmediato, dominados por el espanto de los recuerdos: «Yo ya conozco esto», me recordó con acento trémulo. «Vuelve el 36. Acuérdate de Calvo Sotelo. Hijo mío, vuelve a casa.» Otros, con la desconfianza de un porvenir aciago. Otros, con la inquietud que produce siempre el asesinato de un primer ministro. Todos, con el óxido de la incertidumbre posándose en su corazón.

Empezaron las primeras detenciones, las diligentes sacas. Estaban hechas un poco al tuntún, siguiendo un criterio desconcertante. Caían unos que sí tenían que ver y algunos de los que la gente se preguntaba: «¿Y ése, por qué?»

Los acontecimientos se desarrollaron sorda pero vertiginosamente, detenciones, informaciones confidenciales de abogados y detenidos, rumores, conciliábulos de célula...

Todos empezamos a buscar lugares seguros donde dormir. Yo mismo, ausente Dolly de V., tuve que confiar en mi tío Pepe, el simpático cobrador de morosos, que se tomó la cosa muy a pecho y juró, con una escenificación convincente, que antes tendrían que pasar por encima de su cadáver que consentir que me sacaran detenido de su casa.

Nuestras noches se convirtieron, como las de los moribundos, en citas con lo desconocido: una noche sin novedad era arrancarle a la vida un poco de esperanza.

Ya he contado cómo Gaztelu el mismo día 20

apareció por la asamblea de facultad para glosar a Mao Tsé-tung. Declamó, citando al Gran Timonel: «La caña de bambú ha gemido en el viento. Vendrá la luna nueva a igualar nuestras sombras y cantará la rana», queriendo decir con ello que la caña representaba el capitalismo imperialista o el imperialismo capitalista, que sobre este particular había teorías; que la luna era el comunismo y que las sombras éramos todos los demás antes de la revolución, que nos volveríamos personas, es decir, luz, con la revolución, aprobándolo todo la rana, es decir, la Dialéctica de Hegel, y eso todos menos los capitalistas del imperio yanqui o los esbirros del capitalismo oligárquico, a los cuales no les valdría ni luna ni bambú ni nada, para concluir, aprovechando que el Pisuerga pasa por donde pasaba, que Carrero no había sido más que un fascista consumado y un contumaz verdugo. «A todo cerdo le llega su San Martín», fueron sus palabras exactas.

Luego Gaztelu salió de la asamblea, descubrió aparcado el coche de la policía y actuó como ya se ha contado.

A los dos días lo detuvieron y mientras los niños de San Ildefonso cantaban, con ese dengue nasal que tienen, la fatalidad pitagórica de los números, en la comisaría Gaztelu, sin que nadie le hubiera puesto la mano encima, cantaba el pobre como su rana hegeliana.

Se produjo la desbandada y corrió de boca en boca y como la misma pólvora esta dramática consigna: Sálvese quien pueda. En los días siguientes se produjeron nuevas detenciones, muy numerosas y más indiscriminadas todavía. Detuvieron, entre otros, a Rei y a Tejero. La zona universitaria y la misma ciudad se convirtieron en un hormiguero desbaratado.

Rei y Tejero, delatados por Gaztelu, pasarían a la cárcel sin posible exculpación. A mí me cupo mejor suerte.

Llegué a mi pueblo, es decir, a la ciudad donde vivían mis padres, el mismo veinticuatro de diciembre, sin haber pasado siquiera por el piso de Agustín Espinosa.

Las vacaciones transcurrieron con una lentitud desesperante. Traté de disimular lo mejor que pude la agitación nerviosa que apenas me dejaba dormir. El ruido del ascensor después de medianoche, una llamada de teléfono a horas intempestivas, el terror de imaginarme la escena con mis padres, si llegaba a suceder la temida y anunciada detención, fueron causas de desazón y angustia que ni la distancia de V. ni el aturdimiento del ambiente de las fiestas pudieron mitigar.

El día de Nochevieja Evelio, con delirante borrachera, me telefoneó desde una cabina de Aranda.

–¿Quién era? –quiso saber mi madre.

–Uno de los compañeros de clase. Quería felicitarme el año.

Durante la comida de Año Nuevo, aproveché para anunciar solemnemente un cambio en mi vida:

–Papá, mamá, creo que es mejor que vuelva a una pensión. La vida de piso no va conmigo. Se estudia menos, se pierde mucho el tiempo y la casa está lejos de la facultad. Por otra parte, la habitación que yo tengo está sobre las vías del tren. Se oye a todas horas pasar los trenes y no me dejan estudiar ni dormir. Además no me gustan los trenes.

Mi padre una vez más se encogió de hombros, mi madre mostró su contento porque creía que en aquel piso pasaba hambre y mi hermana pequeña me miró con suspicacia, como diciendo: «¿Qué pasa, qué ha pasado?»

Lo primero que hice al volver a V. fue pasarme por Agustín Espinosa. Antes de hacer uso de mi llave, llamé al timbre y me cercioré de que no había nadie. Recordaba bien la conversación telefónica con Evelio.

–Han detenido a Floro.

–¿Qué ha hecho?

–¿Qué ha hecho? La culpa la tienes tú. La víspera de irse de vacaciones estuvo la policía en casa preguntando por ti. Pasaron y registraron tu cuarto. Como no encontraron nada, buscaron en el de los demás. En el de Floro encontraron unos periódicos y propaganda tuya.

Era verdad. Se los había prestado yo. Casi le había obligado a que los cogiera. «Los lees –le dije–, me dices lo que te parecen, y me los devuelves.»

–¿Y dónde está ahora? –pregunté.

–¿Dónde te parece que esté? En la cárcel. Aseguró que la propaganda no era suya, sino tuya, pero le han pasado a la cárcel. Cuando salga ha dicho que te mata.

–¿A mí?

Evelio me insultó durante cinco minutos y cuando se cansó de hacerlo, me amenazó:

–No te quiero ver por casa. Recoge tus cosas y lárgate de allí. Como te vea, yo mismo llamo a la policía.

Después de meter en mis maletas todos mis libros y mi ropa, volví a casa de Dolly. Me esperaba. Estaba acostumbrada a tantas idas y vueltas. Viví en su casa tres días, hasta que encontré una nueva pensión.

DOLLY'S HOUSE—REFUGE

TERCER INTERLUDIO

LOS RECUERDOS

Una mañana de marzo V. amaneció con una niebla espesa. Había estado lloviznando toda la noche. Llovía y se paraba, llovía y se paraba, hasta que definitivamente dejó de caer aquel orvallo helado, y entonces se levantó una densa y desoladora niebla.

Yo tenía entonces la pensión en la plaza del Oro, que no era plaza ni tenía que ver con el oro, porque era un lugar al que las sucesivas remodelaciones urbanísticas le habían ido quitando toda forma de plaza, y tampoco guardaba relación con un lugar dorado, porque las casas eran todas casas de finales de siglo y principios de éste, con un tono miau y negras escaleras de castaño y huevos fritos de escayola grisácea y saltada en los techos ahumados.

Cuando salí de casa, las farolas de la calle Feijóo, todavía encendidas, luchaban por esparcir una luz amarillenta y muerta sin conseguirlo.

Hacía mucho frío. No era capaz de explicarme qué hacía yo a esas horas levantado, porque no eran todavía las ocho de la mañana. Decir que iba a clase de latín no es suficiente. Hay que estar loco para le-

FOG

vantarse a las siete y media con el sólo propósito de asistir a una primera clase de latín.

Me encaminé hacia la facultad, que no distaba de mi pensión más de diez minutos andando, si se acortaba por las callejuelas del barrio viejo. Bien fuese por la niebla, bien por la hora temprana, bien porque no me hubiera despertado del todo, el caso es que me perdí. Empecé a dar vueltas. La niebla medio tapaba los rótulos de las calles, que a duras penas podían leerse. De pronto todas las esquinas se me volvieron idénticas, todos los portales parte de una misma pesadilla, cada luz una incitación a la huida. Las calles estaban vacías, los comercios con los cierres y trapas echados. No pasaban coches, gente, nadie. De repente se oían, lejos, cerca, quién podía saberlo, unos pasos de alguien que cruzaba y que volvían, de manera no menos misteriosa, a desaparecer, engullidos por aquella bruma tenaz. Otra vez se oyeron, amortiguados y remotos, los cascos de un caballo y las llantas de hierro de un carro sobre los adoquines, y casi al mismo tiempo ocho lentas, graves, fúnebres campanadas. Me dije: «Estoy cerca de la catedral», pero no reconocía nada que me hiciera suponer que me encontraba cerca de la catedral. Se apagó el eco de las campanadas y sobrevino de nuevo el silencio.

«Esto es absurdo –pensé–. No estamos en Londres, esto no es una novela policiaca ni de estranguladores. Tengo que encontrar la manera de salir de aquí.»

Traté de reconocer algo, una puerta, un balcón, un escaparate. Fue inútil todo. Toda la ciudad me parecía distinta. No había nada en ella, bajo aquella niebla, de lo que pudiera decir: «Lo conozco.» Pasé junto a un muro alto y largo del que se desbordaba la hiedra negra. «Ya está –me tranquilicé–, el convento de San Agustín.» Seguí, y me encontré con que aquello no era un convento, sino un dispensario, también cerrado quién sabe hacía cuantos años, con el empalidecido rótulo encima de una pequeña puerta: «La gota de leche.»

Cosas como la que estoy contando suceden en los sueños. También en la literatura. Sólo que aquello no era un sueño ni tampoco literatura. Vagué inquieto durante un cuarto de hora. Sabía que no podía pasarme nada, porque nadie se pierde en una ciudad de provincias, a menos que seas un sonámbulo o un escritor francés.

Pasé delante de un pequeño bar. La claridad temblorosa y agónica de sus bombillas se quedaba en la misma puerta, sin atreverse a trasponerla, resplandor muy débil para luchar con aquella niebla. Pegué la nariz al cristal, miré al interior y pensé: «Aquí van a decirme dónde estoy, por dónde queda la universidad.»

Había tres o cuatro parroquianos de pie, junto a la barra, con los cuellos de sus cortos abrigos levantados y calados unos pasamontañas hasta las cejas. Bebían sus orujos, sus anises, sus coñacs en copas de culo grueso. Uno de los clientes se volvió hacia mí, atraído por mi silueta sombría en el cristal. Aquel hombre tenía una cara llena de granos rojos y gruesos labios violáceos. Se me quedó mirando y en su expresión pude leer un reproche sin paliativos, como si me retara: «¿Qué miras, imbécil?» No me atreví a entrar y seguí andando.

Por un momento tuve la sensación de que todo en V. se había detenido. Eso tenía V. como ciudad. Lo mismo se sucedían los acontecimientos de manera vertiginosa, que parecían quietos, fijados al tiempo como el epitafio a la piedra negruzca. El reloj de la estación, los ventiladores del café, todo en V. señalaba hacia lo mismo, el movimiento sin duración, la duración sin tiempo.

Por fin un golpe de viento levantó las entretelas de aquella niebla y me pareció ver a lo lejos, en medio del cielo, a Cristo Rey. Aquel Cristo era una estatua que le habían puesto en lo alto de la cúpula a la catedral. La catedral era ya de por sí desafortunada, por ese neoclasicismo español indigesto y sordo que le han puesto en España a las audiencias provinciales y a ciertas iglesias. Con la estatua encima ya no tenía remisión. Al Cristo, descomunal, con los brazos abiertos y una cara de loco, se le conocía también por «el suicida», que parecía totalmente que podía en cualquier momento perder pie y venirse al vacío. Me pareció ver la mano de aquel desencajado señalándome la salida del laberinto, pero no debió de ser así porque fui a parar cerca del río, justo al lado contrario de donde yo creía estar.

El río, los árboles, las casas, los pocos coches que circulaban con las luces encendidas y los faros antiniebla construían una ciudad inmóvil, una secuencia de cine, la escena de una vieja y rayada película, quizás esa vieja fotografía que ha ido poniéndose con los años un algo sepia, un algo pardusca, un algo gris, sin perder su blanco y negro, por lo mismo que la madera de alcanfor no pierde nunca su perfume ni en los mares más bravos ni en las galernas más devastadoras. Un fotograma entre innúmeros fotogramas. Eso era la ciudad: un solo fotograma detenido bajo una luz demasiado potente que habría de quemarlo y destruirlo para siempre.

De todos mis recuerdos de V. es el de aquel día de niebla el que mejor resumiría mi estancia en esa ciudad, desde un punto de vista moral. Desde un punto de vista pictórico, está el recuerdo de la ciudad en la lejanía, viniendo desde la Alameda de Escalona, pero desde un punto de vista moral, es éste el recuerdo que me quedó de V.

Fue un episodo insignificante, si bien su sombra se ha proyectado del pasado al presente, hasta alcanzarlo y cubrirlo por entero. Su duración me ha detenido, su inmovilidad me ha lanzado hacia adelante, donde esperan los recuerdos.

¿Perdido? Yo podía estarlo. En cierto modo todos lo estábamos. Rei en su cárcel, donde llevaba ya tres meses; Dolly en su magnífico apartamento, en su vida, en sus viajes, entre sus rutilantes amigos, en la montura de su caballo; Celeste en su miedo; mi tío Narciso en sus experimentos frenopáticos y en sus misteriosos negocios; Lola en su optimismo irreductible; mis camaradas, yo de nuevo lanzado a la odisea de las pensiones, todos. A todos, por igual, nos mantenía unidos, ligados, aquella niebla. La misma que nos perdía, nos mantenía juntos. Los años, la política, tantas ideas confusas, tantos sentimientos a medio madurar o definitivamente podridos, todo lo que no tenía un contorno preciso, la niebla de la vida lo mantuvo unido, en permanente e indisoluble contacto, hasta formar de todos y cada uno de nosotros ese quechemarín que vaga sin rumbo fijo; hoy por aquí, mañana allá, hoy próspero, mañana con bandera de cuarentena. Todo sin salir del mismo mar. Todos y cada uno de nosotros, por separado y juntos, éramos todo y parte, unidad y dispersión. Vistos al microscopio, en mis recuerdos, aquellos años, los personajes, la ciudad, las calles, todo, son pequeñas entidades unicelulares flotando, igual que protozoos, en un magma confuso. Vistos con mayor perspectiva, tal vez la imagen del buque fantasma no le sentara mal.

Si bien la cosa tenía unos tintes más modestos: ni la grandilocuencia de los buques fantasmas ni la minúscula maravilla de la microbiología, pero puedo asegurar que todos los protagonistas de los hechos que se narran aquí tienen una opinión formada y terminante de los mismos, aunque es más que probable que no pudieran ponerse de acuerdo ni dos de esas opiniones.

Imaginemos que se les muestra a unas cuantas personas un ornitorrinco por partes, señalándoseles un pequeño fragmento del animal y ocultándoles el resto. Cada una de estas personas habrá creído ver un animal distinto, una oca, un topo, una nutria. Si alguien que lo hubiera visto entero tratara de explicar que ha visto un ornitorrinco, no le creerían. Dirían: «Eso es un monstruo.»

Aquellos años, aquella ciudad, nosotros mismos, por separado, tal vez recordáramos algo más o menos armónico. Juntos no somos más que un ornitorrinco y como el ornitorrinco, algo local, sólo posible en aquel continente que se llamaba V.

Después de aquellas detenciones llovieron sobre la universidad de V. un gran número de expedientes académicos, por los cuales los afectados o tenían que irse de aquel distrito universitario o tenían que cambiar de facultad o, según la gravedad de la sanción, tenían que dejar de estudiar.

La severidad de los castigos sumió a todos los estudiantes en la desolación y el desánimo. Se habían acabado las bromas. Nadie intentó más huelgas, nadie se atrevía a levantar la voz, y con las orejas gachas, todos, con peor o mejor cara, más o menos resignados, volvimos a las aulas.

V. se tornó una ciudad más triste aún. Sólo el cine podía redimirla y redimirnos a todos.

No sé por qué razón, ni creo que nadie aporte una convincente, V. era una ciudad volcada en el cine. Había desperdigados por toda ella unos cinco o seis cineclubs en colegios mayores, sin contar con la Filmoteca Nacional ni el Festival de cine que se venía celebrando allí casi desde los primeros cincuenta, un festival que durante una semana hacía creer a muchos que aquélla era una ciudad llena de vida, justamente por poder ser una ciudad llena de ficción.

Las películas que se proyectaban en V. en estos cineclubs, filmotecas y festivales eran en su mayor parte, ignoro igualmente por qué razón, películas en blanco y negro de los países del Este.

Esta particularidad de que fueran en blanco y negro, y el hecho de que para mí fuese también V. una ciudad en blanco y negro, hacen que piense en esa ciudad a veces como en una de aquellas películas socialistas, con toda su lentitud, su espesura dramática, su rancia densidad y su mismo silencio, y a veces propiamente como en una ciudad del Este.

Maravillas del cine. Como si la realidad y la ficción, el vértigo y la nada, se mezclaran en un tiempo común y un espacio común, como común era también el público que asistía a aquellas proyecciones, siempre los mismos agitadores, los mismos conspiradores, infiltrados y policías.

Las películas, subtituladas, eran todas húngaras, checas, polacas, rumanas, yugoslavas. Casi todas sucedían en ambientes rurales de una brutalidad expresiva primitiva, escenarios de intrincados y opacos dramas psicológicos. Gentes con pellizas y barbas de cinco semanas y también en ocasiones obreros de mirada vidriosa y un destino terrible, hablaban entre sí como fieras de jaula: poco y casi siempre en voz muy baja; o al contrario, a gritos, para ejemplificar, mediante alambicadas trasposiciones mentales, la dialéctica de la historia y la historia de la dialéctica.

Nosotros mirábamos aquellas películas con gran unción, con religioso respeto contemplábamos sin movernos de la butaca, arrobados por un arte tan depurado, y no obstante revolucionario, los frutos acedos del comunismo, que a nosotros nos parecían muy dulcísimos. Una vez, en el silencio de una proyección, cuando la película estaba siendo más inabordable, la tragedia más suprema y la lengua vernácula más incomprensible, alguien lanzó a la oscuridad de la sala el memorable grito: «¡Viva Lenín!», con el acento en la í, igual que en 1934, y su aclamación fue acogida con una emocionada salva de aplausos y quién sabe si lágrimas en los ojos, al amparo de la oscuridad y a salvo de las miradas indiscretas de los confidentes.

Al salir de aquellas catacumbas del cine o de aquella apartada y destartalada filmoteca, siempre era de noche, lloviznaba siempre y hacía frío o estaba todo cerrado por la niebla. Quizá no fuera así todas las veces. Es seguro que alguna vez al salir del cine de ver aquellas películas tristes como los tártaros, hiciera buen tiempo y brillara la luna en todo lo alto y las estrellas, pero los recuerdos gozan de ese privilegio: vestirse con el disfraz que quieren. Son ellos el director de la función, y en mi memoria siempre será de noche y hará frío y lloverá y la niebla bajará a morder nuestros huesos y nuestras reumáticas articulaciones con su penetrante cuchillo cada vez que yo recuerde las salidas del cine de ver aquellas películas.

Salidas que, en mis recuerdos, tenían más de fábrica que de sala de proyecciones. Una de aquellas fábricas que habíamos dejado en la sala de proyección.

La abandonábamos todos en silencio, taciturnos y cabizbajos, como dibujos expresionistas, y nos parecía que sobre nuestras cabezas sobrevolaba el aullido melancólico de unas sirenas. Las sirenas del tiempo, las sirenas mecánicas de aquel mar de tierra adentro que era V.

La gente, hoy, a nueve años del final del siglo, oye la palabra poesía, pliega y se va. Pero, ¿cómo, si no, recordar aquellos años? ¿Cómo, si no es con la poesía, podrían conservarse aquellos recuerdos?

Realidad o ficción, cine o destartaladas calles de V., metros de puro cine del Este y horas de no menos dura vida tras de una idea, una quimera, una condena. Todo estaba unido en esa cinta vieja y rayada que era nuestra realidad y nuestra ficción, nuestro tiempo y nuestro espacio. Recuerdos, cine, fantasías, lo que no sirve más que para pasar el rato y hacerse uno no sé qué vanas y vagas ilusiones de que ha visto y vivido, sin tener que probar ni demostrar a nadie que ha visto y que ha vivido, pues todo en el recuerdo es verdadero.

11

Celeste no llegó a V. hasta pasado un mes de la detención de Rei, empezado febrero. Creía firmemente que a ella terminarían también por detenerla. Quemó todas las cartas que conservaba de su novio y ensayó, una y mil veces, el interrogatorio al que estaba convencida que le sometería la policía, preparándose a él como el que trata de pasar por una aduana mercancía de contrabando. Pero llegó a V. y nadie la molestó. Eso tuvo sobre ella efectos euforizantes y se creció en su amor propio.

Al principio llena de temor y poco a poco más confiada, Celeste se propuso visitar a Rei en la cárcel. Al comprobar que sus visitas no provocaban sino indiferencia entre los funcionarios, las regularizó y, ya tranquila, no ocultaba que era novia de Rei. Al contrario. Ahí se produjo un pequeño cambio en su carácter. De escamotear aquella relación, pasó no a difundirla a los cuatro vientos, pero sí a defender con orgullo ese estado, si ello era preciso.

Primero acudió una vez cada quince días, luego una vez a la semana y terminó por hacerlo los dos días, lunes y jueves, en los que las visitas estaban permitidas.

Los primeros encuentros le sirvieron para reunirse con un José Rei animoso, lleno de esperanza, de moral muy alta, al que tuvo incluso que llevar los libros de texto. Aseguraba: «Terminaré aquí el curso.» Con el paso del tiempo aquel optimismo de las primeras semanas se fue tiñendo de desánimo, de desaliento sin curación.

La vida en la cárcel no era mala. Les daban mal de comer, pero según referían algunos veteranos, en otras cárceles era peor. En la de V. tenían tiempo para leer, para hacer gimnasia en el patio, para hablar y discutir de política con más libertad que fuera. Los funcionarios no eran especialmente severos y la mayoría no quería sino cumplir pacíficamente con sus obligaciones y marcharse a su casa. Lo mismo podría decirse del director, un cristiano que creía sinceramente en la redención del penado por la comprensión y el diálogo; era bastante generoso en materia de admisión de paquetes con víveres, que paliaban la mala alimentación que recibían, y atendía no pocos ruegos de sus pupilos.

–Lo peor de la cárcel –le comentaba Rei a Celeste– es que tienes demasiado tiempo para pensar. Cuando piensas hacia un lado o hacia otro, hacia adelante o hacia atrás, todo marcha; como pienses en círculo, estás perdido. Aquí no haces sino dar vueltas y vueltas alrededor de un pozo seco. Eso te vuelve loco.

–Saldrás pronto –le animaba Celeste–. No lo rumies más. Todo está listo para que la semana que viene salgas de aquí.

Se ponían plazos de siete, de diez, de quince días. Todo lo que fuera más de eso, no les servía. Sus esperanzas tenían siempre un vuelo y unas alas muy cortas. Nada de águilas. Codornices.

Cada día, Celeste le llevaba noticias de sus abogados, nuevas de cómo y en qué estado se encontraban los recursos y los distintos procesos. Rei lo creía todo y dudaba de todo. Pasaba de estados de exaltación positiva a los estados de la más amarga desesperación, con incertidumbre ciclónica.

–Me han dicho que el director de la cárcel le ha comentado a un funcionario que le ha dicho a mengano que es muy posible que yo y otros tres salgamos dentro de dos o tres días.

Pero a la siguiente visita, desanimaba a Celeste:

–No saldrá el juicio hasta dentro de dos años y no me dejarán salir antes. Es lo que se comenta. Con el atentado no han conseguido otra cosa que hacer que la dictadura se refuerce. En el mejor de los casos, me condenarán a ocho años: asociación y propaganda. Antes de ocho años no saldré.

Transcurrieron los tres primeros meses y llegó la Semana Santa.

Rei hacía todo lo posible por mantenerse entero y firme. Lo hacía tanto por él como por Celeste. Pero los elementos, las circunstancias, esas condiciones objetivas que abrían y cerraban análisis como llave maestra, eran especialmente desfavorables y rigurosas y su presencia de ánimo empezó, si no a desmoronarse, sí a redondear todas y cada una de sus aristas, que terminaron por desaparecer. La pirámide que había sido alguna vez, iba camino de convertirse en una elevada ruina, en la informe mastaba de ideales erosionados o derrumbados a sus pies.

Después de tres meses, cuando Celeste se entrevistaba con Rei en el locutorio, no sabía de qué hablar con él. De él no se podía, porque terminaban en las obsesivas conjeturas; de ella, tampoco, porque la misma libertad de que gozaba, le parecía a Celeste un obsceno tema de conversación; y de los dos, de los planes para el futuro, tampoco, porque el amor había quedado interrumpido hacía ya mucho. Alguna vez rozaban el tema de una manera oblicua. A veces Rei decía:

–Creo que nos dan bromuro en el pan.

–¿Cómo lo sabes?

–Sabe raro.

Cuando se agotaba el hablar de trámites legales, abogados, juicios y perspectivas de condena, Rei y Celeste guardaban silencio y se miraban a los ojos, conscientes los dos de que también aquellos dos pozos se iban poco a poco secando. Con todo, Celeste no dejó de acudir un solo día a la cita con él. Le llevaba tabaco, comida, libros. Celeste supo reconocer el papel de heroína que las circunstancias le presentaban y decidió aceptarlo. Se volvió activa, llamaba a unos, a otros, se le pasaba el día en gestiones, indagaciones, visitas. Incluso telefoneó al padre de Rei, si bien el padre no quiso siquiera ponerse al teléfono.

Celeste no se desanimó. La mujer, esclava en otras ocasiones de su nerviosidad, empezaba a crecerse, incluso a emborracharse de su propio valor. Se podría decir que estaba entusiasmada al comprobar que cuanto disponía su inteligencia y buen juicio era inmediatamente acatado por su voluntad, que lo ponía en práctica sin demora. Entre su voluntad y su deseo, entre su querer y su poder desaparecieron todos los siniestros fielatos, especialmente el del miedo, y aquella libre circulación tanto por la vida como por las dependencias de su conciencia la transformó por completo, incluso físicamente. Su belleza conoció días gloriosos. Como la protagonista de una novela romántica pudo decir: «La voluntad es un caballo. Si no se le monta cada día, se ablanda, sus músculos se atrofian y no valdrá más que para carne.» Por esa razón y, decidida en su gimnasia espiritual, se presentó en casa de Rei. Nada la detenía ya. El padre de Rei no tuvo otro remedio entonces que recibirla, siquiera durante unos minutos.

La hizo pasar a su despacho, el *sancta sanctorum* donde el militar se aislaba de todos, un estrecho cuarto que atesoraba miles de discos de sinfonías clásicas y zarzuelas.

Celeste trató de hacerse una idea rápida de aquel hombre, juzgándole por aquella muralla de discos, por los libros, por los retratos familiares que le observaban de continuo sobre su mesa. «Éste –pensó–, es un ser infeliz, un hombre débil.» Si hubiera tenido Celeste que argumentar su juicio, no habría podido, pero tenía la absoluta certeza de que era así y no de otro modo.

–José –empezó diciendo Celeste con la seguridad del que trata un asunto financiero del más alto nivel– necesita dinero. No tiene una peseta y en la cárcel necesita dinero para comprarse comida, tabaco, libros. Necesita ropa de abrigo. Allí dentro no hay calefacción y pasa frío.

–¿Tú eres su novia? –contraatacó el doctor Rei–. ¿Sí?

El doctor Rei trató de mirar a los ojos de Celeste, pero no fue capaz de soportar su mirada, que desvió a un lugar inconcreto de la frente de la joven. Celeste confirmó su juicio: «Un hombre débil.» Un juicio seguro, pero inútil.

–Vas a decirle de mi parte lo siguiente –continuó–: para todos los efectos ha dejado de ser mi hijo. Por mí como si se hubiera muerto. Más todavía: dile que si por casualidad sale de la cárcel, que no se le ocurra venir por esta casa, porque yo mismo le pego un tiro. ¿Estamos?

Al salir de la cita, a Celeste le temblaban las piernas y, desarmada por el esfuerzo, rompió a llorar. Ni su inteligencia ni su voluntad habían contado con tan brutal revés. Aquél era el hombre que José Rei admiraba.

–¿No será sólo una reacción violenta? ¿No crees que se le pasará? –le pregunté a Celeste cuando ésta me refirió la entrevista.

–En absoluto. Es un hombre cruel y no sólo no ha hecho nada para que lo pusieran en libertad, sino que ni siquiera ha ido una sola vez a verlo.

–¿Qué le vas a decir a Rei?

–Nada. No sabía siquiera que fuese a ver a su padre.

Con la excusa de Rei, Celeste y yo volvimos a vernos.

Jamás había llegado a hablarle a Rei, y menos aún a Celeste, de mis sentimientos por ella. Si él o ella los sospechaban, a mí no me constaba.

Al menudear ahora nuestras citas, me era imposible permanecer indiferente a todo lo que de ella me seducía. Por esa razón nuestros encuentros se convirtieron en un pequeño infierno moral, ya que luchaba en mí un amor que yo había creído ahogado o enterrado y la lealtad hacia un amigo, cada vez más necesitado de Celeste.

Poco a poco fui advirtiendo un cambio en Celeste, incluso un cambio rápido, aunque no hacia mí. Celeste volvía de sus citas con Rei nerviosa, alterada, agresiva. Comenzó a acusar el peso de una responsabilidad que nunca quiso compartir, y eso minó su ánimo.

Un día, Celeste me sorprendió con una confidencia:

–Creo que no estoy enamorada de él.

A aquella confesión siguió un monólogo que Celeste puso frente a sí como un espejo. Hablaba conmigo, pero era a ella misma a quien se confesaba tales cosas.

–Pero aunque no esté enamorada de él –terminó–, jamás se lo diré mientras siga en la cárcel. Cuando salga de la cárcel, sólo entonces, hablaremos.

Yo no quería ni podía aconsejarle nada. Esperaba, guardaba silencio, observaba los vaivenes de su corazón, la cima de aquel iceberg confidencial que emergía de un mar de sentimientos encontrados, y confiaba en que alguno de aquellos vaivenes la acercara a mí.

Durante los últimos meses yo pensaba en Celeste de esa manera que no es pensar, porque son cosas que es mejor ni pensarlas. Me gustaba Celeste. Su transparencia me inquietaba, sus aires de distancia me acercaban a ella, me apasionaba su frialdad y me obligaba a ser a su lado lo que yo no era: transparente, distante y frío.

Si me fijaba en su cintura, al punto calibraba que mis manos podrían abarcarla. Si, hablando de cualquier cosa, pronunciaba ella la palabra dulce o musgo o truco, la fantasía me jugaba una mala pasada al ver aquellos labios que parecían decir sólo un «tú, tú, tú». Si un día metía sus dedos en mi pelo para ponerlo en orden o me quitaba un hilo de la chaqueta, sentía yo un no sé qué que me obligaba a concentrar la vista en las puntas de mis zapatos, por más que aquellos gestos los hubiera hecho ella con la misma indiferencia que el que pasa la palma de la mano por una cama recién hecha para quitar una arruga.

Ésa era Celeste, un río que nacía en mí y que moría en mí, sin conocer otro país. Un Guadiana sin ojos, una ciega corriente.

Por eso esperaba que un día me dijera con música de violines: «¿Cómo no me di cuenta antes?» Nada como desear una cosa para que suceda. El que ve todos los días correr un río o ve pasar los trenes, es raro que no termine frente al mar o en ciudades remotas. Yo quería llegar hasta Celeste, aunque intuyera que llegar a ella sería terminar un sueño. Un sueño y una pena, como en la copla.

Para colmo de males, Celeste y yo nos volvimos inseparables. La acompañé incluso en una ocasión a la cárcel para visitar a Rei, aunque no me dejaron pasar a verle.

Celeste se lo contó.

–Ha venido Martín conmigo, pero no le han dejado entrar. Me manda recuerdos para ti.

–¿Le ves ahora?

–Sí –le contestó extrañada Celeste–. ¿Por qué no iba a seguir viéndolo?

Rei bajó la voz, se aseguró de que nadie le escuchaba y sin mover los labios, añadió:

–Ten cuidado. Es un confidente de la policía. Uno que vivió con él, un tal Floro, ha jurado que un día le vio bajar de un coche de la policía dos manzanas antes de llegar a la casa que tenían aquilada en Agustín Espinosa.

Esa misma tarde Celeste me telefoneó a la pensión. Quedé citado con ella en Flamingo, una cafetería, que, como su nombre indica, daba bien la medida de lo que en V. entendían por cosmopolitismo.

–Quiero que me digas si tú eres o no un social. Si lo eres, quiero saberlo para no volver a hablarte en mi vida. Si no lo eres, me alegraré por los dos y las cosas seguirán como hasta ahora.

De nuevo vi en su rostro la dureza tallada de la sibila.

Las palabras de Celeste me dejaron sin habla. Era lo último que podía esperarme de nadie. Solté primero una carcajada, luego guardé silencio, después encendí un cigarrillo, las cosas que suelen hacerse cuando uno quiere ganar tiempo. Sólo entonces comprendí la gravedad de aquella acusación. Le conté a Celeste mi conversación telefónica con Evelio el día de Año Nuevo.

–Es una venganza muy ruin de Floro. Tiene la mente retorcida. Habla tú con Evelio. Él te dirá que la policía vino a buscarme a Agustín Espinosa. ¿Por qué iba la policía a buscarme si yo era uno de los suyos?

Celeste encontró a Evelio en clase.

–Es un social –le confirmó Evelio–. No tengo la menor duda. Lo de que vinieron preguntando por él es cierto, pero sabían perfectamente que no estaba allí. En su habitación no había ni un papel, ni un panfleto, nada. En cambio en la de Floro, sí, y en la habitación de Floro entraron directamente después de hacer como que registraban la de Martín.

Evelio también había creído el infundio de Floro o, en combinación con él, buscaba perderme.

Celeste volvió a hablar conmigo.

–¿No comprendes –le expliqué a Celeste– que si yo fuera policía nunca habría detenido a un imbécil como Floro? Es verdad lo que él ha dicho: que no sabe nada, que nunca ha estado organizado y que no pertenece a ningún sitio. ¿Para qué va a querer detener la policía a uno como él? Si yo fuera un social, la policía sabría que Floro no es nada más que un pobre payaso inofensivo, ¿y de qué utilidad les sería mantenerlo encerrado? Lo habrían soltado el mismo día.

Celeste guardó silencio unos instantes y a continuación dijo en voz baja:

–Te creo.

Pudiendo haber dicho lo contrario, pues las mismas pruebas tenía para decir sí o no, Celeste afirmó: «Te creo.» Jamás se le ha hecho a nadie regalo más precioso que aquellas dos palabras. Celeste me miró. Tal vez adivinara los sentimientos de gratitud, dolor y amor que dentro de mí luchaban por manifestarse. Quiso sellar sus palabras con un gesto y me abrazó. Al besarme, las comisuras de nuestros labios quedaron, por accidente, una al lado de la otra en un roce perturbador.

HESITANCE IF INFORMER OR NOT

KISS

–Celeste...

–¿Sí?

–Gracias. –Y no encontré nada más elocuente que decirle.

Celeste, para borrar la sensación que había dejado en los dos aquel beso ambiguo, se acercó y besó mi mejilla de una manera que admitía pocos equívocos.

–¿Cómo no iba a creerte?

–Bien. En ese caso habla con Rei. Cuéntale todo lo que te he contado.

Celeste prometió hacerlo y transmitirle a él y a todos los de la cárcel mi versión.

Yo fui al día siguiente a hablar con el abogado que llevaba el caso de Rei y de los otros. Me recibió en un despacho destartalado de la calle Espronceda, donde tenía el bufete con otros abogados laboralistas. Resultaba evidente que se trataba de alguien que si no era él mismo del partido, estaba muy próximo a él. Por la manera fría en que me recibió supuse que estaba al corriente de los embustes que sobre mí circulaban dentro de la cárcel. Charlamos durante una hora, al término de la cual me tranquilizó, pareció tranquilizarse él mismo con respecto a mí y me prometió también deshacer aquel malentendido con los de la cárcel en cuanto tuviera la oportunidad.

Salí muy satisfecho de aquel encuentro y a los dos días Celeste y yo fuimos a dar un paseo por la Rosaleda.

Muchos rosales estaban cargados de capullos, otros habían abierto sus primeras rosas y el aire templado traía y llevaba aquel perfume tan ajeno a nuestras confidencias.

–He hablado con el abogado. Parece una buena persona y con mucha influencia entre la gente de la cárcel. Ha quedado convencido de mi inocencia.

–Yo también he hablado con José –me dijo Celeste–. El abogado se ha entrevistado con uno de ellos y le ha dicho que no te he creído una sola palabra, que eres muy hábil, pero que no has conseguido engañarle. La versión de Floro es la que para ellos cuenta. Según el abogado la redada ha sido demasiado amplia como para venir de un solo hombre como Gaztelu. Él asegura haber visto casi todas las declaraciones ante la policía y ante el juez. Creen que eso es obra de más de uno, de un infiltrado. El abogado ha averiguado además que tu tío Narciso es íntimo amigo del comisario. ¿Es verdad eso?

–Puede ser. Yo no sé quiénes son los amigos de mi tío. ¿Qué tiene eso que ver conmigo?

Desde ese día empezaron a casar algunas piezas dispersas del fragmentado mapa de nuestras vidas.

Después del primer desconcierto, traté de reconstruir un poco a ciegas mi vínculo orgánico con el partido. Me resultó imposible. Todas las puertas a las que llamé se me cerraron.

Tal vez fuera aquella calumnia el mayor daño moral que jamás haya recibido de nadie y, en tanto que moral, fue difícil encontrar para él el cauterio apropiado. La causa de que existan delaciones y delatores hay que buscarlas siempre en tres cuevas: el miedo, el interés o la maldad, descartada la ingenuidad, pues a la ingenuidad nada se le puede exigir por su misma falta de juicio. Me preguntaba: ¿por qué razón he sido yo acusado por Floro de algo que él sabía falso? Descartado el interés, pues que yo fuese o no confidente no podía redundar en beneficio suyo, quedaban el miedo o la maldad, es decir, el placer de una venganza. El miedo debía también descartarse, pues cuando Floro propagó este infundio había sido trasladado ya a la cárcel y nada podía temer; en cuanto a la maldad, sólo podía entenderse desde el siguiente punto de vista: que fuese mayor el daño que me ocasionaba a mí con aquella calumnia que el placer que ese daño le proporcionaba a él, lo cual, dicho sea de paso, era un placer pueril. Todo esto me lanzaba a las desiertas costas de una cuestión jamás resuelta: el origen del mal y su propagación. Floro había tenido quizá una razón para incubar ese mal, pero, ¿qué razón habían tenido mis camaradas, algunos de los cuales eran amigos míos, para extenderlo? Se ha dicho que nada hay tan desasosegante como una duda. Existe algo que causa aún mayor desazón: la sombra de una duda. Desde entonces tuve que acostumbrarme a convivir con una duda y a sufrir la sombra de una duda. La duda de que nada está a salvo y la sombra de esta terrible duda: aunque no lo fuese y no lo hubiese sido nunca, para algunas personas había algo en mí que cuadraba con la fisonomía del confidente. Esos que al conocer el infundio dirían: «Yo lo sospechaba. Había en él algo que le delataba como soplón.» Por esa razón las calumnias, y lo supe entonces de qué manera, son peligrosas. No por la mentira que muestran, como por el germen de una verdad, tan escondida y oscura como el mismo corazón del mal.

Que Celeste no consintiera que esa sombra la rozara ni siquiera de lejos, es algo que jamás podré agradecerle bastante.

Llegó el mes de mayo y empezó el buen tiempo, incluso demasiado calor para la época. Con la disculpa de los exámenes finales, Celeste y yo quedábamos citados en la cafetería Laredo para pasarnos apuntes o en la biblioteca para estudiar. Dedicábamos a preparar los exámenes cinco o seis horas cada día, luego salíamos con otros compañeros a beber vinos y alguna vez ella y yo solos a pasear.

Le transmití mi entusiasmo por el río y por los paseos que podían hacerse junto al río. A veces alquilábamos una barca y remábamos durante una hora, río arriba, río abajo, con indolente lentitud.

En uno de aquellos paseos fluviales Celeste me confesó:

–Cuando José salga de la cárcel, le dejaré.

Los remos levantaban del agua un rumor apagado y dejaban tras de sí los deshilados sueños de la espuma. Todo efímero, breve e irreal como aquellos días.

–¿Sales con otro? –pregunté lleno de ansiedad.

–No. Querría que hubieran pasado ya todos estos años. La juventud es una edad odiosa, traumática. Te duele el cuerpo, porque ha crecido demasiado de prisa, y te duele el alma porque crece demasiado despacio.

Mientras hablaba tenía frente a mí su cabeza en escorzo. Se había cortado el pelo y la luz de la tarde se posaba en ella con suavidad y ceremonia. Bastaba permanecer junto a Celeste unos minutos para darse cuenta que estaba acostumbrada a ver reflejada su belleza en la mirada de todos. Me sentía, en cierto modo, insignificante a su lado. Uno más de las docenas de moscones y admiradores que revoloteaban a su alrededor, a los que Celeste encontraba indefectiblemente o vanidosos o vacíos o petulantes, cualquiera de las tres cosas que origina la falta de inteligencia, único defecto que no podía ella soportar en nadie. Por esa razón tal vez, por creerlo de antemano todo perdido, sentí allí mismo el deseo de abrazarla. Quizá porque, aun deseándolo, hacía mucho tiempo que había renunciado a abrazarla. Puede que me sintiera con ese derecho. Después de todo yo llevaba más de un año queriéndola en secreto. A mi manera. Y de una forma en cierto modo pura, como me parecía pura la manera en que amaba a Dolly, porque pureza era amar a las dos sin excluirlas de ese amor que yo sentía por las dos.

Celeste hablaba con ensimismamiento melancólico y su voz, ondulante y brusca a un tiempo, se confundía con el ruido de los remos, dulces labios y dulces palabras que transportaban mis ideas, mis sentimientos y mi deseo por aquel río mío más hondo, más sereno y sombreado que aquel por donde yo la llevaba.

–¿Cómo crees que recordaremos todos estos años? –continuó diciendo–. ¿Dónde estaremos? Ayer José me dijo que quería tener muchos hijos conmigo. Le dije que tantos cuantos él decidiera, pero nunca tendré hijos.

Celeste giró sus hombros y se habría levantado y se habría ido de allí si ello hubiese sido posible, pero tuvo que conformarse con apartar a un lado la cabeza y dejar que sus lágrimas corrieran en silencio a reunirse con el río.

La experiencia me dice hoy que las lágrimas de una mujer facilitan a menudo las cosas. Las lágrimas de una mujer inteligente, las dificultan siempre. Es difícil estar a su altura. Seguí remando sin decir palabra. El río, con la promesa del verano, era un pequeño paraíso de reflejos, de perfumes, de tenue frescor. El azul intenso del cielo, sin una nube, se transformaba en el agua en un verde esmeralda de insondable belleza. A pesar de la corriente, el agua parecía muda y quieta. Sólo los remos, al entrar en ella, la rompían, dejando tras de sí unos pequeños y granados racimos de burbujas y la confidencia de su misterio y su rumor.

Llegamos remando a la altura de una vieja fábrica. Se veía aquel sombrío y abandonado falansterio a la orilla del río como una catedral de la era industrial, delante de una chimenea de tubo, alta y cubista, que coronaba la cimera de un pararrayos astillado y torcido. Los rojos ladrillos de las paredes se habían vuelto negros con el tiempo y no quedaba en las ventanas un solo cristal sano, saltados todos a pedradas. La hiedra, libre, poderosa y brillante, avanzaba ya por los tejados, y los rosales de la entrada, sin podar hacía años, estaban cargados de unas flores asilvestradas y enanas.

–Llévame a la orilla –me pidió Celeste.

Dejamos la barca y saltamos a tierra. Para llegar al edificio abandonado tuvimos que cruzar entre espadañas, zarzas y paleras silvestres. La vegetación exuberante lo llenaba todo con sus verdes rabiosos y nuevos, al tiempo que en el suelo se pudrían las hojas y ramas de quién sabe cuántos pasados inviernos, formando un mantillo negro y caliente.

El olor de las rosas y de las flores sin nombre se mezclaba y confundía con el olor malsano y dulzón de aquel humus, hasta formar un nuevo y enervante perfume a miel y destiladas savias que aturdía incluso a los mosquitos.

Llegamos a la entrada de la fábrica, señalada por una cancela de hierro a la que nos costó liberar de los grilletes de su propia herrumbre, prisionera como estaba además de ortigas y malas hierbas. Una puerta de madera, arrancada de sus goznes y tirada en el suelo, atravesada de lado a lado, impedía el paso pero no la visión de aquel desolador edificio.

–¿Entramos?

Los techos eran muy altos y la nave grande, sin otro mobiliario que la vieja y negra maquinaria. Debía de haber pertenecido a un viejo molino o a una fábrica de harinas, con sus grandes ruedas dentadas y sus bielas y engranajes manchados de azafranado óxido. Estaba aquella maquinaria todavía en el mismo lugar, abatida sobre el suelo con la resignación de un elefante centenario. Arrinconados se veían unos cuantos cedazos rotos y una escoba vieja, con la caña partida y un penacho lamentable de palmas. Atados por la mitad, como fardos informes, había una gran cantidad de sacos de yute, roídos por las ratas y podridos.

Celeste y yo nos sentamos sobre uno de aquellos fardos. Al hacerlo se levantó una nube de polvo blanco que ocupó los dorados rayos de sol que se metían dentro a través de un alto y gran ventanal, y aquellos millones de átomos quedaron allí flotando y vagando sin destino.

–¿Más tranquila?

–Supongo. No tengo muchas esperanzas. ¿Has observado que un mal sueño tiene dos finales? O te despiertas o te deja un desasosiego mortal. No valen componendas. A veces una trata, semiinconsciente, de apañar el final, de conducirlo, como si dijéramos. No sirve de nada. La inquietud ha fijado ya sus quistes en ti. Llevo despierta meses; sólo espero poder olvidar esta pesadilla.

Encendí un cigarro y Celeste, que nunca fumaba, me pidió otro.

–Tú nunca fumas.

–Ahora sí.

Dentro de aquel viejo molino hacía un calor sofocante, y empecé a sentir en la sangre el inconfundible agobio del deseo. El corazón me golpeaba con fuerza el pecho y aunque trataba de apartar de mi cabeza cualquier ilusión de ser correspondido, no me resignaba a desecharla.

Me decía: «No pienses en nada. Sigue tu instinto. Todo lo que no sea eso, ¿de qué vale?»

Celeste guardaba silencio. El mismo sol que entretenía las volutas de nuestros cigarrillos y la galaxia del polvo seco, descendía sobre su corta melena y sacaba de ella reflejos apagados de un oro muy puro. Celeste tenía la frente baja y miraba el dibujo y las vetas de las maderas del suelo.

Estábamos tan cerca uno del otro que nuestros brazos se rozaban sólo con respirar. Al olor dulzón de la miel, al olor de la exudación del río, al perfume embriagador de las plantas lechosas y nuevas se sumó aquel olor a viejo almacén de harina, y el olor del pelo de Celeste, tan íntimo y penetrante, tan fino e intenso, los redimió a todos de su anonimato y su insignificancia, como antes el verde profundo de sus ojos había subrayado los verdes más negros de aquel río.

Cuando pareció haber vuelto de sus meditaciones, Celeste suspiró de una manera triste, arrojó el cigarrillo que se había ido consumiendo solo, y con la suela de su zapato lo apagó concienzuda y enérgicamente.

Me volví hacia ella para estrecharla en mis brazos, pero un segundo de indecisión me sujetó. Su figura quedaba a contraluz y a contraluz bajo la blusa liviana quedaban insinuados dos pequeños botones. Jamás en mi vida había vivido un momento como aquél, en un lugar como aquél, con la más viva representación de la belleza y la juventud juntas que haya conocido jamás. Ni siquiera con Dolly había conocido un momento semejante. Comprendí que aquella situación, tan excepcional como la más inusual conjunción de astros, debía subrayarse con una declaración de amor, apasionado y puro, pero Celeste se me adelantó.

–Es mejor que nos marchemos –susurró incorporándose.

Disimulé mi decepción y nos dirigimos en silencio hacia la barca.

12

Una mañana, la facultad de Filosofía se despertó conmocionada. Alguien había entrado en el edificio por la noche y había llenado de pintadas aquella docta casa. Desde las detenciones de diciembre y enero, tras el atentado de Carrero Blanco, era el primer síntoma de que el movimiento «subversivo» estudiantil no había sido decapitado, como sostenía el periódico local del Movimiento.

No hubo una sola pared en todo el edificio que no se quedara convertida en un gigantesco *dazibao*. Eran eslóganes revolucionarios. Algunos, por su tono poético, señalaban como responsables, y de forma inequívoca, a los «prochinos», lo que quedaba confirmado en cientos de octavillas con el sello de Juventud Comunista, sembradas por aulas y pasillos.

El advenimiento del socialismo, de creer lo que se decía tanto en las paredes como en los pasquines, estaba más cerca que nunca, y también a juzgar por el nerviosismo del estamento docente y el administrativo-funcionarial. Desde el decano y los catedráticos hasta los bedeles corrían todos de un lado a otro con idéntico desconcierto al de cucarachas sorprendidas al encender la luz, nerviosos y sin saber qué hacer con la revolución que se les había metido en casa.

Antes de que a bedeles y a señoras de la limpieza les diera tiempo a borrar precipitadamente las pintadas, todavía se leyeron algunas: «Juan Carlos pelele», «Fuego al tigre de papel», y, sin duda para mí, la más inquietante: «Castigo a los traidores.»

Estaba convencido de que ya había sido juzgado, de que me habían encontrado culpable y de que me habían condenado. La pintada era una advertencia. Y seria. Se conocían antecedentes aberrantes. El de Gaztelu era uno, pero no el único.

Un mes después de la detención de Rei y los demás, una chica que estudiaba Físicas, extenuada por la tensión de nervios, las detenciones y la incertidumbre, decidió dejar la Juventud, que se la estaba robando (para que no se diga que en estas páginas no hay un juego fácil de palabras). Aunque aquello de juego tuvo poco.

Sus camaradas no se lo consintieron y una tarde la esperaron al salir de clase, la siguieron sin que ella se apercibiera y en un portal le aplicaron los más estrictos principios de la revolución cultural, a consecuencia de los cuales la chica perdió un oído.

La paliza llegó a conocimiento de los trotskistas y anarquistas, que esperaban la ocasión desde hacía tiempo para atacar a los de la Juventud. Sin ponerse de acuerdo, empezaron a aparecer cada día, firmados por unos y otros, nuevos carteles que denunciaban los métodos de los estalinistas, aquellos mismos estalinistas que cada vez que la policía les mataba, apaleaba o defenestraba a un camarada, recibían con alborozo la noticia, porque eso contribuía a fortalecer su causa y debilitar la del enemigo. Trotskistas y anarquistas no desaprovecharon la oportunidad.

Los militantes de la Juventud, sin embargo, plantaron cara. Se organizaron para hacer desaparecer aquellos carteles que mermaban de una manera tan patente el prestigio alcanzado después de duros años de combate y se tomaron la cosa en serio. Los rompían en mil pedazos apenas llevaban en las paredes cinco minutos, y si sorprendían a quienes los ponían cruzaban con ellos insultos y algo más que insultos. Los jóvenes comunistas acudían con la celeridad de las plaquetas sanguíneas a sellar aquellas brechas abiertas en los centros vitales de su organismo y retiraban de la circulación aquellas denuncias con mucho más celo y mucha más rapidez que los propios bedeles, cuando rompían los que ellos mismos, los «chinos», colocaban.

Aquellas danzas, contradanzas y gavotas duraron una semana. A la semana, trotskistas, anarquistas y «chinos» organizaron una batalla salvaje en los claustros de la vieja facultad de derecho.

Hubo heridos, cristales rotos y un número indeterminado de sillas y mesas que quedaron para astillas después de la refriega. El escándalo fue tan mayúsculo, que el rectorado decidió cerrar nuestra facultad, hasta que se apaciguaran los ánimos, quince días.

A la vuelta se convocó a los estudiantes a una gran asamblea de facultad. Los ánimos no estaban ni mucho menos aplacados, pero el ejemplo de una izquierda dividida era más penoso que aquellas pequeñas diferencias, de manera que alguien, una vez más, gritó, esta vez al inicio de la asamblea:

–Compañeros: ¡Unidad! ¡Unidad! ¡Unidad!

Y una vez más surtió efecto. Después de corear las palabras mágicas durante cinco minutos, todos se aplacaron algo y conciliaron puntos de vista. Facilitó las cosas el hecho de que los «chinos» manifestaran en corrillos y mentideros que no tardando se harían una autocrítica sobre el particular caso de la estudiante de Físicas. Un pequeño harakiri, como quien dice, pero no muy profundo. Al fin y al cabo, todos se mostraron de acuerdo en que era mucho más importante expulsar a Franco del Pardo, que no que una estudiante perdiera un oído.

–Le queda el otro –se atrevió incluso a abundar uno en la asamblea con su mejor voluntad.

Se oyó un peligroso zumbido de desaprobación, acallado antes de que pudiera cobrar forma de catástrofe:

–¡Unidad! ¡Unidad! ¡Unidad!

Como se ve, fueron días muy alegres, de grandes debates intelectuales y provechosos estudios. Por suerte para mí, las clases se estaban terminando y sólo quedaban algunos exámenes finales.

Como en el curso anterior, tomé la costumbre de quedarme las noches estudiando en casa de Dolly.

Las relaciones entre nosotros dos apenas habían experimentado cambio alguno en los dos años casi que llevábamos viéndonos.

Con una ingenuidad que hoy me hace sonrojar, alguna vez se me ocurrió sermonearla sobre el hombre nuevo y los valores revolucionarios frente a los valores burgueses en los que yo, y sobre todo ella, vivíamos.

–La verdad –decía siempre Dolly– está en las medias tintas, en los grises, en toda la amplia gama de las penumbras. La mucha luz te ciega y en la mucha sombra no se ve. Dividiendo a la gente en clases sociales no se llega nunca a ninguna parte. Siempre habrá buenas y malas personas.

»Cambiarás con el tiempo –sostenía ella en medio de mis más rotundas protestas–. Hoy eres un inconformista, pero el tiempo te volverá una persona conservadora.

–No es verdad –me defendía yo–. Tú no eres una persona conservadora. Eres una burguesa, pero no vives como una burguesa, estás conmigo, eres libre, haces lo que quieres. Tu vida no es una vida conformista.

–¿No te lo parece? Quizá. Pero te falta mucho que ver todavía. No que aprender. Algunas cosas no hay que aprenderlas. Basta con verlas. Y te falta ver algunas vidas. En la vida son posibles todas las combinaciones y matices. Al final uno no se relaciona con ideas y programas, sino con personas que no son ni lo que quieren ser ni lo que pueden ser, sino lo que la vida les va dejando ser. En general, olvídate de las teorías. O ponen difícil lo que es fácil o fácil lo que es difícil. Con ver es más que suficiente, y a primera vista, mejor.

Como siempre, terminaba fiándose de su ojo clínico. En aquellos dos años nos acostumbramos a vernos y aunque cada uno llevaba su vida, las nuestras se habían vuelto imprescindibles la una para la otra.

Si por mí hubiera sido, creo que me habría entregado más aún a aquella relación, pero fue la propia Dolly quien prefirió no ver cambiados sus viejos hábitos y era feliz teniéndome como algo que complementaba su vida, pero que no la transformaba. Tal vez sospechaba desde el principio que estábamos condenados, tarde o temprano, a abandonarnos, lo cual lo vivía sin dramatismo. Si sufría, no era fácil saberlo, quizá porque las mujeres, contra lo que se piensa, no son sentimentales. Puede que sean emocionales; sentimentales, no. Ella, desde luego, jamás me dijo: «Martín, te quiero. Quédate conmigo para los restos.» Un hombre repite a menudo la palabra siempre, aun para olvidarla dos minutos más tarde. Por lo mismo, por conocer mejor que los hombres la naturaleza humana y la sustancia del mundo, es raro oír esa misma palabra de labios de una mujer. Pueden pronunciarla, pero sin gran convicción. Ni siquiera en los momentos de mayor ternura entre nosotros sus «te quiero» eran definitivos. Sonaban todos a «te quiero hoy. Mañana, ¿quién puede decirlo?»

Recuerdo que a veces yo me preguntaba, para perderme en los alambiques del ensueño: «Cuando termine la carrera, ¿me quedaré en V.? ¿Siempre estaré con Dolly? ¿Cuando Dolly tenga sesenta años, yo tendré cuarenta? ¿Cómo será Dolly de vieja? ¿Cómo se llevarían Dolly y Celeste? ¿Podría llevar la relación que llevo con Dolly con Celeste?»

Durante el tiempo que pasé en V. no hablé a nadie jamás de mi relación con Dolly. Ni siquiera al tío Pepe, al que nunca dejé de ver mientras permanecí en V. Tampoco Celeste y Lola supieron de ella.

Puede que Rei la sospechara desde el día de nuestra borrachera. Si él contó algo a Celeste, no lo sé. Desde luego Celeste conmigo siempre se comportó como si no supiera nada. Y si seguí en aquella discreción no fue tanto por conveniencia como por comodidad. La relación ya era de por sí novelesca, como para dejar que viniera nadie con teorías, consejos y pronósticos.

Cuando terminé el último examen final y me disponía a volver a *** de vacaciones, con mi familia, Dolly me telefoneó con una comisión urgente.

El día anterior había cenado con unos amigos suyos.

–En la cena –continuó informándome– me presentaron a un periodista. Se llama Ángel Luzón y está casado con una chica que se llama Carmela. Ellos no son de aquí. Han venido de Madrid para abrir una delegación del diario *Pueblo*. Comentaron que estaban reclutando a meritorios que quisieran quedarse durante el verano haciendo el trabajo de redacción, y yo les hablé de ti.

–Estás loca, Dolly. Yo sé pintar y dibujar algo, pero no he escrito nunca.

–Da igual. Yo le dije que irías a verle hoy. Escribir sabe cualquiera.

Desde la oferta de mi tío Narciso, aquélla fue la primera oportunidad seria de empezar a trabajar en un sitio con cierto porvenir.

Encontré la oficina en la calle Espronceda, un portal más allá del del abogado, el día en que estaban poniendo un luminoso rojo con la palabra *Pueblo*.

Al llegar, empujé una puerta entornada y me encontré en una amplia habitación. Olía todo a moqueta nueva, muy combativa, color bermellón, a juego con unas cortinas de ese mismo color y unas galerías tapizadas en plástico genuino y también con aquel color rabioso. En medio de la redacción se veían seis mesas con sus pesadas olivetti encima y un tablero de corcho donde estaban crucificados unos cuantos recortes de periódicos, revistas y notas manuscritas. Parecía un lugar abandonado. Carraspeé, tosí un poco más fuerte, hice ruido con una silla, pero nadie me contestó. Reparé en una puerta en la que se leía la palabra «director» y llamé con los nudillos.

–Adelante –me ordenó desde dentro una voz acolchada.

Detrás de una mesa se parapetaba un hombre como de unos treinta y muchos años leyendo doce o trece periódicos a la vez, abiertos todos por la mitad.

Me tuvo de pie, sin decirme nada, un cuarto de hora, y cuando consideró que lo que tenía delante, o sea, yo, había sido ya lo bastante impresionado, levantó los ojos de aquel revoltijo de papeles, los posó en mi persona y se enfrentó conmigo:

–¿Quién eres tú y qué es lo que quieres?

Le informé quién era, me hizo unas cuantas preguntas, y a los cinco minutos, sin haber tratado de cosas de más provecho, decretó:

–Empiezas a trabajar ahora mismo.

–¿Dónde?

–Tú debes ser gilipollas –mascullό como en un aparte de teatro–. ¿Dónde va a ser? En una de las mesas que hay ahí fuera.

–¿Cuál de ellas? –consulté con timidez.

–Huy, la Virgen. Éste es gilipollas –insistió en su aparte teatral, volviendo la cabeza hacia lo que sería un figurado foro derecho–. ¿En cuál va a ser? ¡En cualquiera! –y al gritar, levantó los dos brazos al cielo, como un asirio de ópera.

Por extraño que parezca, y de aquella manera extravagante, acababa de entrar en la Galaxia de Gutenberg.

13

En verano, V. se volvía una ciudad fantasma. No quedaban estudiantes, cerraban todos los colegios mayores y muchos bares, y el calor, asfixiante, sellaba puertas y ventanas.

En V. se pasaba del frío estepario y unas nieblas dañinas a un calor africano que ponía al rojo las piedras y reblandecía el asfalto hasta dejarlo igual que pegajosa pez.

Hacía un efecto extraño pasear por el centro. Las calles, sobre todo las de la zona universitaria, permanecían vacías; y el rectorado y las facultades, con los portalones cerrados y las contraventanas echadas, recordaban a todas horas que la ciudad moría y resucitaba conforme a un calendario lectivo.

En mi casa recibieron con escepticismo la noticia de que me quedaba en V. para trabajar de periodista. A mi padre no le entraba en la cabeza que yo solo, por mi cuenta, me hubiera conseguido un trabajo mejor y más apropiado que el que mi tío Narciso no había sabido procurarme jamás, y desde entonces cuando hablaba conmigo me llamaba, con retintín, «reportero».

Por su parte Dolly me invitó a que me mudara con ella el mes de julio y a quedarme en el apartamento el mes de agosto, mientras ella permaneciese en Comillas.

Me pareció bien, cargué de nuevo con mis maletas y dejé la pensión de la plaza del Oro. Yo había pasado algún fin de semana viviendo en casa de Dolly y no pocas noches de exámenes, pero nunca tanto tiempo seguido. En mi casa dije que me trasladaba a vivir al piso de unos amigos, ausentes durante las vacaciones. Y lo creyeron como a ciertas edades creen los padres algunas cosas: porque era mejor creerlo, que adivinarlo o averiguarlo.

Mi trabajo en *Pueblo* consistía al principio en hacer todo de lo que no querían ocuparse los demás.

En aquel piso de Espronceda estaban concentradas la redacción, administración y departamento de publicidad. Éramos ocho. El director, uno; otro que se dedicaba a contratar anuncios por la calle y en las agencias, dos; otro, que se llamaba Vicente Merino, redactor jefe, aunque en realidad hacía las veces de director, tres; otro, que firmaba los artículos como Francisco Alegre y que yo no sabía bien qué hacía, pero que tenía cierta vara alta con el director, cuatro; yo y otros dos estudiantes de periodismo que venían de Pamplona, siete; y Carmela, la mujer del director, ocho.

Carmela, que a veces hacía de fotógrafo, no era exactamente «mona», como me había informado Dolly, sino espectacular. Un poco basta si se quiere, pero con veintipocos años y un temperamento flamígero. Llevaba siempre pantalones y camisetas ceñidas hasta lo inverosímil, que le marcaban escandalosas curvas en las caderas y en el pecho. A veces no eran camisetas y se entallaba unas blusas muy abiertas a punto de que los botones le saltaran por los aires. Tenía un variado surtido de ellas, pero las anudaba todas de la misma manera, dejando ver un minúsculo y oscuro triángulo de vientre, en cuyo centro, como ojo divino, se le adivinaba el ombligo.

A las dos semanas de haber empezado a trabajar, llegó de Madrid el director del periódico, que ya no era Emilio Romero, sino otro, a inaugurar la nueva delegación. Se abrieron unas botellas de champán y cuando la concurrencia estaba más o menos atenta, todos los oradores, que resultaron casi tantos como asistentes, repitieron con elocuencia aquello de «esta nueva singladura», «como una gran familia», «el periodismo está necesitado de ilusiones» y cosas de parecida e irrefutable originalidad.

La gran familia resultó pequeña y mal avenida, y las ilusiones duraron lo que las burbujas del champán.

Ángel Luzón, el director, se reveló como un loco peligroso. Le habían regalado aquella sinecura en provincias por ser hijo de un gobernador civil, después de haberle privado de una más cómoda en Madrid, se conoce que para quitárselo de en medio.

Se pasaba el día encerrado en su despacho bebiendo whisky, con un lápiz rojo en una mano y una Astra de cadete, con las cachas de nácar, metida en el cinto.

Parecía el tópico de un señorito: se peinaba hacia atrás con gomina un pelo muy negro y brillante; no se ponía nunca camisas que no llevaran bordadas sus iniciales y ojales para su colección de gemelos, y los zapatos que utilizaba eran siempre italianos de ante o tafilete reluciente a cualquier hora del día.

Cuando estaba borracho salía blandiendo la pistola en alto y se paseaba entre las mesas, se nos quedaba mirando y con la lengua gorda, sin poder anclar los ojos en cosa ninguna, se ponía faltón:

–Rojos, sois todos unos rojos.

Cuando empezaba así, bajábamos la cerviz y nos enfrascábamos en nuestras máquinas de escribir, como si lo que estábamos haciendo en ese momento nos despertara un interés del que fuese imposible sustraerse. Lo lógico hubiera sido que alguien se hubiese levantado en alguna de aquellas exhibiciones y le hubiera dicho algo a aquel mamarracho. Pero no. ¿Miedo a la pistola, a perder el empleo, a enfrentarse al hijo de un gobernador? ¿La época, las jerarquías? No sé, de todo un poco. Entonces Francisco Alegre, que era al único al que el director permitía ciertas confianzas, le calmaba: «Ángel, no jodas, que las carga el diablo», y se lo llevaba a casa a dormir la mona, entre las protestas del borracho que todavía encontraba fuerzas para volver la cabeza y gritar a su redacción: «Sois todos unos pringados y unos caguetas. No tiene balas», y apretaba el gatillo para que sonara un triste clic, clic, clic.

Aquel número lo repetía una vez por semana con ligeras variantes, y lo repetía no tanto porque nos despreciara a todos, que también, como por no terminar de resignarse a un destierro que consideraba humillante para su carrera profesional.

Carmela, su mujer, discutía con su marido en la redacción, en el despacho, en todas partes, por cualquier motivo, a causa de cualquier bagatela. El director, con fama de solterón y calavera, la había pescado en un destino anterior, creo que en Cáceres. A su lado resultaba de un exotismo de calendario, pero, según se decía, media Extremadura era de su padre. Mi teoría es que discutían a todas horas porque el engranaje de sus respectivas vulgaridades no parecía sincronizado, eran dos horteras en frecuencias distintas y chirriantes.

Ella era más joven que él y tenían dos hijos pequeños de los que se ocupaban poco, porque se pasaban el día metidos en aquella oficina y las noches de alterne, hasta que Ángel bebía lo bastante como para no recordar que seguía viviendo en V. Ella en cambio no bebía nada, aunque le seguía a todas partes. Se conoce que prefería estar sobria para poder insultarle a su gusto donde le petase y a la hora que le petase.

Las cosas que se decían eran de las que no se pueden repetir y siempre que podía Carmela le provocaba. La manera que tenía de hacerlo era insinuarse con los hombres con los que se cruzaba, el botones, un colega, el obispo de V., cualquiera. A nosotros se nos acercaba por delante de la mesa, se inclinaba y se ponía a charlar tranquilamente de un asunto banal, sólo que metiendo sus tetas buenísimas como quien dice entre los mismos tabuladores. El marido conocía el paño y olía no sé cómo aquellos devaneos de su señora, de modo que, apenas llevaba ella dos minutos, de ja, ja, ji, ji, salía él de su despacho hecho una fiera y allí mismo comenzaba la función.

Al poco tiempo empezaron a correr por la redacción mil fantásticas versiones sobre la pareja. Según unos, él le ponía los cuernos con todas las golfas de las barras americanas. Según otros, quien ponía los cuernos era ella. Vicente y Francisco Alegre, perros viejos del periodismo local, eran aduladores con el jefe. En cambio, cuando el jefe estaba ausente o borracho, emprendían ambos una frenética carrera para ver quién conseguía primero llevarse a Carmela a la cama. Carmela los incitaba, los provocaba, los encendía, para dejarles con un par de palmos en las narices.

Yo tenía que entregar mis artículos a Vicente Merino. Merino se complacía en tacharlos con un lapicero rojo parecido al que utilizaba el director, pero no fue un mal maestro.

Las primeras semanas no me publicaron ninguno. Luego, poco a poco, me brindaron, como quien le suelta un mendrugo a un perro, algunos temas sin interés para llenar las ocho páginas que teníamos que enviar desde V. a la redacción central de Madrid. Todavía recuerdo mi primer artículo publicado. No llevaba firma, pero me dio por imaginar que todos reconocerían en él a un artista. Empezaba así: «Ayer murió atropellada, por un lamentable descuido que nos entristece a todos, doña Josefa García Valdecasas, de noventa y un años de edad.» Seguía un folio más glosando, en tono elegíaco, la noticia, el excesivo tráfico de la zona, la mala señalización, la soledad trágica de la vejez, etcétera... Vicente Merino lo leyó, tachó todo el folio y corrigió el primer párrafo, que se publicó de esta manera: «Ayer murió atropellada Josefa

García Valdecasas, de noventa y un años.» El resto, hasta completar el folio que se fue a la papelera, se llenó de unos cuantos decesos más y sucesos de vario plumaje, algunos apócrifos o hinchados, porque era más importante cerrar la página que atenerse a la realidad. En el fondo, ahora que lo pienso, aquélla fue una verdadera escuela del arte.

Cuando Merino consideró que estaba ya lo bastante fogueado en aquel periodismo intensivo y de urgencia, me ordenó:

–Desde mañana te encargas de la sección de sucesos.

Me dio un vuelco el corazón. La principal responsabilidad que comportaba el nuevo puesto era que tenía que ocuparme de crímenes, violaciones, robos, menudencias...

–¿No es lo mismo llamar por teléfono? –le insinué.

Entonces fue cuando aprendí que en un periódico no puede uno decir jamás lo que te gustaría hacer, porque siempre hay cerca un alma caritativa y generosa preocupada por tu formación y disciplina espirituales que te ordena justamente lo contrario, con la disculpa de templarte el carácter.

–Tendré que ver a los mismos policías que hace seis meses fueron a detenerme. Cuando me vean –le dije esa noche a Dolly– me reconocerán y me detendrán. Dirán: «Hombre, tú por aquí. Pasa.»

–No te preocupes. No te va a ocurrir nada.

Dolly no terminaba de creer que los policías, tan amables con ella cuando iba a renovarse el carnet de identidad, fueran capaces de cometer atropellos con nadie y menos con alguien que ella conocía, y menos aún por cosas que ella tenía por juegos de niños.

–Vete, no corres ningún peligro.

Me adentré en la boca del lobo al día siguiente, y no pasó nada. Al otro tampoco. Toda la primera semana y tampoco. A la semana me conocían en la comisaría todos los guardias y secretas, y saludaba a unos y a otros como a viejos amigos. Por otro lado pensaba: «Si alguien me viera entrar cada tarde en la comisaría creería que soy de veras un delator, un confidente. Cuando empiece el curso lo normal es que alguien me vea.»

No sé si era la vida tal y como la entendía Dolly, pero la vertiginosa sucesión del tiempo y la novedad de esas secuencias, hizo que me lo pareciera. Vivir por primera vez con una mujer, ser periodista, pasar mi primer verano solo, lejos de la familia, eran cosas que no me habían sucedido jamás, las secuencias de una existencia hecha de deslumbradores fogonazos, tan acelerada como detenida, tan intensa e imborrable como fugaz y tenue.

Para empezar, la convivencia con Dolly se llenó de imprevisibles hallazgos. Una Dolly, hasta entonces desconocida para mí, se me reveló en mil pequeños detalles, no del todo insospechados pero no siempre tranquilizadores.

Al principio creí que íbamos a hacer la vida en común, pero no resultó así. Por el hecho de irme a vivir con ella, Dolly no cambió sus hábitos. Su vida social era intensa, incluso demasiado para una ciudad como V. Con el buen tiempo era rara la noche que no cenaba fuera de casa. Solía llegar tarde, pasadas las dos y las tres de la madrugada. Cuando se quedaba en casa porque se encontraba cansada, se servía una copa y se enfrascaba en la lectura de decenas de revistas que renovaba casi a diario. Bebía mucho, incluso cuando tenía que conducir.

Quizá me ocurrió a mí, aquel mes de julio, que llegué, dos años después, al mismo lugar de donde Dolly había partido conmigo el día en que me conoció: saber que todas las cosas nacen y mueren, llegan y pasan y que la experiencia consiste no en creer, digamos, que la primavera es alegre y el otoño triste, sino en descubrir en cada estación del año su nieve y su flor, su rosa roja y su hoja seca. Quizá lo que me causaba más estupor era observar a aquella mujer cuyo nombre había escrito yo hacía menos de dos años sobre el vaho de un espejo sin poder contener mi emoción, y no experimentar idéntico temblor. Sin saberlo, al verla leer sus revistas, cada vez que oía el tintineo de los cubitos de hielo en su largo vaso, al sorprenderla dormida a mi lado sin que eso me conmocionara como antes, sin saberlo, digo, estaba entrando en el oscuro y ruinoso caserón de los *ubi sunt*, aquel caserón sobre cuya puerta podía colgar este cartel: «La vida. Academia.»

El mismo treinta y uno de julio acompañé a Dolly a la estación para que tomara el tren de Santander. Al despedirnos nos abrazamos y por la forma que tuvimos de mirarnos, supimos que en aquella relación había aparecido, como en pantalla grande, la palabra fin, sólo que en modesto, sin esa solemnidad de las películas y las novelas, conscientes los dos de que, en efecto, había llegado un final, pero conscientes también de que seguiríamos viéndonos, y bebiendo juntos y pasando alguna noche juntos. Es decir, que había aparecido la palabra fin, pero no en una película, no en una novela, sino impresionada sobre la vida, esto es, sobre papel mojado. Por eso ninguno de los dos expresamos aquella certidumbre.

Durante aquellos dos años entre Dolly y yo no había habido grandes conversaciones ni mayores declaraciones de amor. Fue todo más insignificante, a pesar incluso de los apasionados primeros meses. Fue una educación sentimental donde sería difícil rastrear acontecimientos importantes, fuera de aquél, ya de por sí extraordinario, que fue compartir dos años de la vida de una mujer como ella. Pero no había habido grandes textos. Fue, si se quiere, el parvulario donde me fue dado comprender el oculto significado de las letras, de algunas pocas palabras y de un no menos oculto laberinto. Poniéndonos enfáticos, habría que decir que aquello consistió en un ensayo general para leer en el libro de la vida, ese que casi siempre resulta indescifrable, o que está en blanco.

En casa de Dolly, me organicé para pasar el mes de agosto lo mejor que pude.

Muchas noches el calor sofocante me sacaba a la terraza, donde tiraba un colchón. Sobre él, de espaldas, me quedaba abismado en las estrellas hasta el amanecer, cuando la fatiga y el sueño me vencían, y un asomo de frescor y un rumor de hojas verdes subían desde el río para mecerme con su canción de cuna.

Durante aquellas cuatro semanas, yo solo en V., en aquella casa, me sentí como una de las viejas barcas amarradas a la orilla del río. Desde la terraza de

Dolly se veía un estrecho muelle hecho con trozos de tablas, muchas de las cuales estaban rotas y otras faltaban, y también se veían las barcas. Eran barcas pequeñas, necesitadas de una mano de pintura desde hacía diez años. La mayoría guardaba en sus fondos tres dedos de un agua espesa y negra, no se sabía si de lluvia o de que entraba por algún sitio, un agua crónica, enferma, a punto de pudrirse.

Por las noches, sin el ruido de los coches, en medio del silencio estival, podía oírse incluso cómo chocaban unas con otras y los chasquidos que hacían las cadenas de hierro al tensarlas y destensarlas la corriente, lo que producía una gran melancolía de tiempo que pasaba veloz a pesar de tantas amarras.

A medida que se fue consumiendo el mes de agosto y el verano tocaba a su fin, me invadió un gran desasosiego. Por primera vez en mi vida empecé a sentirme atado a la responsabilidad del trabajo, y por otro lado notaba como que algo de mí, un agua que había sido clara y pura, empezaba también a corrompérseme en el fondo, hasta el extremo de que se corría el riesgo de que un día éste se quebrara, en cuanto alguien pusiera el pie encima, como se vería tiempo después.

En absoluto quiero decir que donde antes veía blanco viera entonces rojo o negro. Seguía siendo blanco, sólo que un blanco más triste, más decepcionado y amargo. ¿Era a lo que se refería Dolly, cuando hablaba de los tonos grises de la vida?

Me daba mucha pereza tener que empezar un nuevo curso. No había atravesado el ecuador y ya quería abandonarlo. Y no tanto por mi posición dentro del partido o con respecto a mis antiguos camaradas, a los que había terminado por ver en los pasillos como a perfectos desconocidos. No.

Hoy les agradezco profundamente que tomaran esa decisión por mí y que se me adelantaran apartándome ellos de la organización.

La primera consecuencia de aquel nuevo estado de cosas fue para mí que experimenté cierto alivio. Quiero decir, cierto alivio de poder disfrutar de aquellas indefinidas vacaciones revolucionarias. Yo mismo me sentía cuerda de un arco largo tiempo tensado. Hasta no volver a mi posición normal y distenderme no comprendí cuánto había echado de menos la normalidad. Embocar una calle sin tener que reconocer antes el terreno. Pasear por ella sin volver la cabeza para comprobar si te seguían, porque hasta de esas manías ridículas terminaba uno contagiándose. Acudir a una asamblea cuyas decisiones no te obligaban a nada que no quisieras hacer. Leer carteles que no habías puesto tú, o mejor, pasar de largo. Mirar una plaza sin plantearte si sería un lugar óptimo, con suficientes esclusas, para organizar una manifestación. Hasta ser un gran burgués daba su gusto. Incluso un poco reaccionario. Nadie pudo ser más feliz con menos.

Pero, con todo, me daba pereza franquear las puertas de aquella facultad, pasar por debajo de aquel escudo donde seguían la verdad y las humanidades resplandeciendo, bajar al sótano para entrar en una cafetería sacudida todo el invierno por el ruido del cuarto de la calefacción contiguo, o con aquel olor imborrable de escabeche y posos fríos de café.

A punto de finalizar el verano, a mediados de septiembre, ocurrió algo que nadie esperaba ya o en lo que nadie pensaba, salvo, naturalmente, el interesado: habían concedido la libertad condicional a Rei.

Me llamó Celeste, desde Vitoria, para darme la noticia y pedirme que fuera yo a esperarle a la salida. Ella, según sus explicaciones confusas, no podía volver todavía.

Yo no sabía nada de Celeste desde que se había acabado el curso. Le había escrito dándole la dirección y el teléfono donde pasaría julio y agosto, pero no contestó a mi carta. Ahora su voz me llegaba no desde el pasado mes de junio, sino desde mucho antes, seria, cortante.

Me confesó que se encontraba bien, que Lola se encontraba también bien y que había algunas cosas que quería contarme.

–¿Qué cosas? –pregunté intrigado.

–Dentro de una semana iré a V. Entonces podremos hablar. De momento –me rogó– sólo te pido el favor de que vayas a esperar a Rei a la salida de la cárcel. Lo ha pasado muy mal.

Me informó del día en que salía y de la hora. El día fue el mismo en que Ángel Luzón, el director, me llamó a su despacho:

–Tú, que eres un rojo de mierda, te vas a ir a la puta calle.

Yo guardé silencio, desconcertado, y le miré de frente. Fue suficiente para que se sirviera un whisky de una botella que guardaba en la librería que tenía a sus espaldas. Luego me tendió unos papeles.

Eran los de un contrato. Había entrado en plantilla.

–Enhorabuena, gilipollas –me dijo.

Era su manera de tratar a la gente cuando todavía no estaba borracho y por la que seguramente, en su fuero interno, sentía aprecio.

Por la tarde a las ocho menos cuarto, tomé un taxi y fui a la prisión provincial. Llegué a las ocho, la hora en que Celeste me había dicho, y Rei no salió. Esperé hasta las ocho y media, y a las ocho y media pregunté. Me respondieron que estaba fuera desde las ocho, pero de la mañana.

14

En casa de Rei me dijeron que ya no vivía allí. Telefoneé a dos a tres amigos, con la esperanza de que me informaran de dónde podía encontrarlo, pero nadie le había visto.

Al día siguiente, a primera hora, recibí una llamada en el periódico. Era él. Le había dado mi teléfono Celeste.

Quedamos citados en el Nacional media hora después. Cuando llegué el café estaba vacío. Un camarero colocaba las sillas en el suelo, que permanecían todavía patas arriba sobre los veladores de mármol, y otro sacudía malhumorado con unos zorros las tapicerías de los divanes.

Me senté en uno de estos sofás de terciopelo rojo y raído junto al gran ventanal, y esperé.

Cuando Rei entró, no lo reconocí. Al principio miró a todas partes, sin encontrarme, mareado quizá por la puerta giratoria.

Aquel Rei tenía poco que ver con el amigo que yo conocía. Sus hermosas guedejas pelirrojas, aquellas que le daban un aire de romántico guerrillero irlandés, habían desaparecido. Sólo las patillas seguían siendo largas y gaélicas.

–He adelgazado doce kilos. En la cárcel te cortan el pelo como a los locos –se disculpó él, y aprecié que en prisión había adquirido un tic: un golpe seco en el párpado izquierdo.

Sólo sus ojos conservaban un brillo antiguo e intenso, pero era imposible sospechar qué lo causaba, porque su mirada se había vuelto errática, y bajo sus ojos habían brotado dos oscuras y azuladas flores, las de unas ojeras que ya nunca le abandonarían.

Estaba nervioso, pidió un café y, mientras hablaba, dobló y desdobló en cien minúsculos pliegues el blanco envoltorio de los azucarillos. A pesar de su delgadez, parecía mucho más curtido. «De tomar el sol en el patio», me aclaró.

–¿Dónde has pasado la noche? Te llamé y en tu casa me dijeron que ya no vives allí.

–En casa de unos amigos. Mi padre me ha prohibido que vuelva a poner los pies en la calle Simancas y ha hecho cambiar la cerradura de mi cuarto. No me permitió siquiera sacar mis libros y mi ropa. Ha dicho que me las enviará él a donde yo le diga. Teme que me lleve cosas que no sean mías o que al hablar con mis hermanos pequeños los corrompa, los pervierta. No se ha privado incluso de referirse a la original parábola de la manzana podrida que se debe arrojar fuera para evitar que contagie a las demás manzanas sanas del barril.

–Se le pasará. Tu padre era una persona comprensiva. Tú mismo decías que no tenía nada que ver con los militares.

–Me vio entrar en casa. Todavía no se había marchado al hospital. Me acerqué para darle un abrazo. Entonces, antes de que yo llegara a donde él se encontraba, no repuesto aún de la sorpresa de tenerme delante, me rogó, como se le hablaría a un asistente, que saliera inmediatamente de aquella casa. Y a continuación se coló en su despacho, que defendió con un portazo. ¿Mi madre? La pobre jamás ha rechistado. Se puso a llorar. Entonces salí, crucé el patio y al intentar abrir la puerta de mi antiguo cuarto, no pude hacerlo. Volví a entrar en casa. Mi padre había aprovechado para desaparecer. Encontré a mi madre poniéndole el desayuno a mis hermanos más chicos. Tuve la sensación de que para ellos yo era un desconocido. Me miraban a mí sin terminar de recordar quién era yo, y miraban a mi madre. Sólo alcanzaban a distinguir que yo era el causante de aquellas lágrimas. Cuando los pequeños salieron para irse al colegio entraron a desayunar dos de mis hermanas y uno que es mayor que yo. Apuraron sus cafés en silencio, después de haberme dirigido una bienvenida fría, apremiados por su neutralidad culpable. Todos habían escuchado las palabras de mi padre. Yo permanecía de pie, junto a la puerta. No había siquiera desayunado. A nadie se le ocurrió pensar que quizá yo tuviera hambre. Ni siquiera a mi madre. ¿Puede pasar una cosa así, que ni tu madre te pregunte si has o no desayunado o si necesitas algo, después de haber pasado ocho meses en la cárcel? Recuerdo que las veces que vino a verme allí a escondidas de mi padre, estaba tan nerviosa, tan humillada entre las otras visitas de quinquis y comunes, que respiró aliviada el día en que la eximí de volver. Pues bien, ahora la tenía delante de mí, sin que me dijera nada, igual de nerviosa que en las visitas, en un estado de extrema agitación que no conseguía disimular. «No tengo dinero», dije por decir algo que me hiciese daño, que nos hiciese daño a todos, porque aquélla no era desde luego la primera cosa que me habría gustado decir en mi casa. Entonces mi madre salió de la cocina y volvió con dos mil pesetas, que me tendió mientras se enjugaba las lágrimas. «Cuando necesites más –me dijo– ven a pedírmelo. Lo que pueda darte, te lo daré.»

»Me pasé la mañana paseando por la calle, sin saber a dónde ir, pensando. No quería hablar con nadie. ¡Qué sensación tan extraña! Jamás había paseado por V. ¡Qué raro se hace perder el tiempo en una ciudad que es la tuya! Cuando estaba en la cárcel imaginaba que afuera el tiempo se me iba a pasar volando. Pero, mira por dónde, fue lo contrario. Qué largo se me hizo ese primer día. Estuve mucho rato vagabundeando, hasta no sentir siquiera las plantas de los pies. Hice cosas que no había hecho nunca y me fijé en cosas en las que jamás había reparado. Entré en la catedral. Hacía más de diez años que no entraba en la catedral. Luego salí y me fijé en una tienda que vende bacalao y que está justo al lado de la catedral, frente a un anticuario. Nunca había reparado en esa tienda, con todas las bacaladas tiesas y blancas colgadas de una cuerda y amontonadas, como rancios papeles de lija, en el mostrador, junto a la cizalla que tienen para cortarlas. Después me fui al río, alquilé una barca y estuve dos horas enteras remando. Fue el primer momento en el que por fin me sentí libre. Remaba río arriba y dejaba luego que la corriente me arrastrara con lentitud. A esa hora no había en el río ninguna otra barca y las últimas golondrinas bajaban a beber hasta el agua, rapándome la cabeza. El aire del río era frío y el cielo tan azul y profundo como aquellos días en que hacíamos novillos en el instituto para ir allí a remar con las chicas, con las primeras novias...

Se quedó pensativo, quién sabe si recordando aquel tiempo lejano en el que las cosas eran más fáciles para todos.

Rei se había convertido en un hombre triste. Sus sonrisas le costaban un esfuerzo grande porque eran sonrisas de convaleciente, con ecos todavía de un misterioso e íntimo dolor.

–No sabía tu teléfono ni que trabajabas –se interrumpió de pronto–. Celeste no me había dicho nada hasta hoy.

Rei no tenía ningún proyecto a corto plazo. Por lo pronto, no podía volver a la universidad.

Cuando pasó a enumerarme los planes que tenía para el futuro, lo hizo, sin embargo, con excitación. También en eso recordaba a los enfermos graves, cuyas crisis agudas o les elevan a las cimas del entusiasmo o les entierran en el abismo de la depresión. Rei me habló de entrar como comentarista de jazz y música folk en una revista especializada de Barcelona; de camarero en un bar; de corrector de pruebas en uno de los dos periódicos de V.; de irse a Inglaterra a lavar platos; de pasar la frontera, pedir asilo político y embarcarse como marino en un barco mercante, como le había sugerido un preso común en la cárcel... El hecho de conservar su pasaporte lo consideraba una gran victoria sobre la inepcia policial, y eso le ponía eufórico. Para él, en esos momentos, su pasaporte era la garantía de que no todo estaba perdido.

Pensé: «Está lleno de ánimo, repleto de proyectos, pero la mirada le delata como a un hombre minado.»

Quise hablarle del partido, pero desvió la conversación sin ningún disimulo.

–No quiero saber nada de política –me advirtió–, ni del partido ni de camaradas.

En alguien de las convicciones de Rei, aquellas palabras tenían por fuerza que sonar a claudicación y supusieron para mí, en cierto modo, una revelación y una no pequeña decepción, aunque en mi interior las intuyera o las esperara o las temiera. Por eso tampoco me pareció oportuno abordar entonces el asunto de las calumnias que circularon sobre mí, y que él y los demás habían creído.

El sol de la mañana cayó sobre la mesa e iluminó un vaso de seltz. Tras la cabeza de Rei, sirviéndole de fondo, seguían las sillas con las patas al aire, llenándolo todo con sus cuellos de cisne. Los camareros habían desaparecido y Rei y yo guardamos uno de esos silencios que lo quieren decir todo y nada dicen.

Sentí el peso de la insolidaridad. Me alegraba, por supuesto, de que hubiera salido de la cárcel, pero más me alegraba, de una manera confusa, no estar en aquel momento en su lugar. No saber cómo me habría comportado en un interrogatorio. No tener que rendir cuentas a nadie. Mirar mi vida, celosa de su egoísmo, rodando a un fin previsto, no punible, dentro de la legalidad, de la normalidad. Ignorar a cuánto hubiera estado dispuesto a renunciar en caso necesario. Saberme libre sin haber pasado por la cárcel. Me alegraba de que el juguete peligroso de nuestras revoluciones no me hubiera estallado a mí entre las manos, y aunque me entristecía comprobar la suerte de aquellos a los que sí les había estallado entre las manos, era superior mi alegría por haber salido indemne de la tristeza que me causaba ver a mis viejos camaradas destrozados e inanes sobre el asfalto de la existencia.

Al tener frente a mí a Rei, se me reveló una verdad que apenas pudo entonces formularse de una manera comprensible: «Rei es mejor que tú, más que tú.» Descubrir la grandeza de su coraje no me ayudó tampoco a hacer desaparecer el desasosiego. Me repetía: «En este momento es él quien importa. Ayúdale.» Y, sin embargo, no hice sino disfrutar del alivio que era no ser él, no ser yo el otro, el que ahora me miraba en silencio, con su pelo pelirrojo casi al cero y sus ojos febriles, y tener una casa donde dormir y una vida por delante que vivir. Me decía: «Pudiendo ser él, no lo soy. ¡Qué suerte!» Pero tener conciencia de ese sentimiento mezquino tampoco me bastó. Nada ni nadie pudo en aquel momento borrarme del corazón esta certeza, cuyos ecos puedo aún escuchar dentro de mí, a poco silencio que haga a mi alrededor: «A pesar de tu vida –pensé esa mañana y pienso ahora, veinte años después–, a pesar de tu vida, Rei le ha dado a la suya más que tú. No es lo mismo causar baja de la política, después de haberla practicado, y hasta qué límites, que haber jugado con ella por jactancia o tozudez o insolencia o inclinación a los gestos solemnes y dramáticos. Considera cuánto ha habido de jactancia y solemnidad en cuanto has hecho en estos dos años. Piénsalo. De acuerdo. Es posible que Rei tampoco esté libre de ese pecado. Eso lo da la juventud. Basta que a uno le esté cambiando la voz, como para que la vuelva campanuda con todo el mundo. Pero él ya ha pagado por ello. ¿Cómo vas a hacer para que Rei, por un segundo, importe más que tú? ¿Cómo vas a conseguir ponerte en su lugar? No importa más que eso: ponerse en el lugar del otro... Ése es todo el secreto.»

El sol jugó con una voluta de humo, que pareció frotarse las manos como un mago. Luego se deshizo y no pasó nada, como en aquel breve monólogo tenido frente a Rei tampoco pasó cosa de trascendencia. Seguimos uno al lado del otro. Sólo que al lado del afecto que sentía por mi amigo, al lado, o debajo, o dentro, se larvaban otros afectos menos intactos.

Insolidaridad, sentimientos vidriosos y zonas oscuras de la conciencia me parecieron en ese momento flores que nadie siembra y que nadie recoge, tristes jaramagos de tejado.

–¿En qué pensabas? –me interrumpió, sacándome de los abismos.

Me alegraba verle, sí. Rei aceptó mis muestras de afecto, pero como recibiría una aspirina un enfermo de cáncer.

Salimos de allí.

Le propuse alquilar a medias un piso y vivir juntos.

–No tengo dinero –respondió.

–¿Y las dos mil pesetas?

–Hasta que no tenga un trabajo fijo, me conviene gastar lo mínimo.

–Por muchos milagros que hagas, ese dinero se te terminará tarde o temprano. Yo he ahorrado este verano, y a partir de ahora tendré un sueldo. Pequeño, pero mensual. No da para pagar yo solo un piso, pero a poco que tú aportes, será suficiente.

Le convencí de ello. Se puso a buscar por todo V. un piso o un apartamento modesto. Después de haber desechado una docena, nos quedamos con uno en el paseo de la Rosaleda, a unos doscientos metros de donde Dolly tenía su casa. Había estado ocupado por un grupo de mozos de reemplazo, que lo utilizaron para sus pernoctas y permisos, y abandonado, al año, como una trinchera.

El piso estaba en la única casa vieja de todo el paseo, una casa de 1910, como constaba en un rosetón esgrafiado que sobresalía del dintel del portal. Entre bloques modernos, es decir, pasados de moda, aquella casa tenía el aspecto de un viejo fortín sitiado y a punto de rendirse.

En nuestro piso había dos balcones que daban a la calle con hierros de un Art Nouveau algo bastardo. Era un piso ruidoso, pero, en cambio, tenía, como también el de Dolly, un trozo de río delante. De no haberlo sabido, se podría haber asegurado que se trataba de dos ríos diferentes en dos ciudades diferentes. Uno, el río que se veía desde la casa de Dolly, y otro, el río que se veía desde la nuestra. Todo lo que tenía de espectacular y panorámica la vista desde la terraza de Dolly, desde nuestros modestos balcones de un segundo piso era la vista de un río pobre, sin tanto árbol en la orilla ni tanta viciosa frondosidad, y sí en cambio unas zarzas parduscas y unas montoneras de escombros en cada orilla. Y se divisaba a lo lejos, sobresaliendo por encima de unos árboles no tan copudos y negros como los que se admiraban desde la terraza de Dolly, la chimenea de ladrillo de una tejera, próxima a la vieja fábrica de harina, donde yo había estado una tarde con Celeste.

No es éste el lugar para emprender el elogio sentimental de las altas chimeneas industriales de finales de siglo, pero debo hacer constar aquí que tanto la vista ferroviaria de la casa de la calle de Agustín Espinosa como aquella del paseo de la Rosaleda eran dos hermosas vistas. Modestas, anodinas, pero singulares, con una hora al día en que habrían podido pasar a una pintura, si hubiera habido alguien con el talento para darles esa eternidad y esa poesía. Y eso me ha quedado de aquella época, como un recuerdo que no precisa ni de restauraciones ni de ocultaciones vergonzosas.

Aprovechando uno de los escasos momentos sobrios que tenía mi director, traté de encontrarle a Rei un hueco en el periódico, pero resultó imposible.

Rei entraba, salía, llamaba por teléfono, tenía entrevistas con patrones pintorescos y los negreros más sinvergüenzas le proponían empleos oprobiosos o le vendían la más indigna de las explotaciones como obra de caridad. Y todo al alcance de la mano, con sólo leer cada día las ofertas de trabajo que incluían los periódicos locales.

En ese momento tener trabajo se me manifestó como la primera y más terrible desigualdad, porque yo veía a Rei luchando cada día por algo que a mí apenas me había costado alcanzar.

Rei, sin embargo, no parecía desalentarse, entre otras razones porque faltaban muy pocos días para que Celeste regresara a V. Creía muy sinceramente que su suerte iba a cambiar con Celeste a su lado.

Rei hablaba poco de ella. Dos o tres veces le entregué cartas suyas, remitidas desde Vitoria, pero nunca me dijo esto o lo otro de sus contenidos.

Por fin llegó Celeste. Vino a casa acompañada de Lola. Estaban muy morenas las dos. Con el sol a Celeste se le había puesto el pelo de un color muy admirable. Salió a abrirles la puerta Rei, que se había pasado la mañana nervioso esperándola. Al encontrarse enfrente uno del otro se dieron uno de esos abrazos que en el cine nos anonadan y de los que queda excluido todo lo que no sea justamente ese abrazo intenso, dramático, grave y un tanto histórico, porque la ocasión nos parecía a todos un poco histórica.

Durante la cena, Rei se mostró radiante, hablaba por siete, contó cosas de la cárcel, bebió, comió con apetito, y con la misma avidez expuso sus planes de futuro, sin soltar la mano de Celeste.

Así llegamos a los postres. Celeste le escuchaba en silencio, le sonreía con esfuerzo y a menudo perdía la mirada en las burbujas del champán que subían en infinita y contoneante columna dentro de su copa.

–Por nosotros –brindó Rei, levantando la suya.

Sonaron unos chin chin sin fuerza y a continuación Celeste soltó su mano de la de Rei y trató de llevar a la comisura de sus labios algo de optimismo, pero le salió una frase teñida de ansiedad y misterio:

–Tengo que deciros algo.

Se produjo un silencio. Lola bajó los ojos y Rei alzó los suyos, azules e indefensos, para leer en los de Celeste:

–He pedido mi traslado. Lola y yo nos vamos a Madrid. En cierto modo, esto es una despedida.

Rei y yo nos quedamos de una pieza. Rei gritó, se frotó los ojos para cerciorarse de que no estaba en un sueño y cuando tuvo que reconocer que aquello era la pura y dura realidad, la insultó. No podía, dijo, hacerle una cosa así. Menos en ese momento. No tenía ningún derecho, y subrayó esa palabra: derecho.

Celeste guardaba silencio. Rei, con la obsesión del marido que acaba de descubrir la infidelidad de su mujer, trataba en un minuto de conocer todos y cada uno de los detalles que habían conducido a Celeste a tomar aquella decisión y a tomarla a sus espaldas, y le hacía preguntas que quedaban sin respuesta.

–Di algo –gritaba.

Celeste no sabía qué decir y guardaba silencio. El tono de Rei, peligroso y violento, nos excluía de la escena tanto como nos implicaba en ella.

–¿No podéis –preguntó por fin Lola– discutir estas cosas a solas?

Rei y Celeste se levantaron, se dirigieron al cuarto donde Rei dormía y se encerraron en él. Lola y yo nos quedamos solos.

Lola me contó entonces que la decisión de dejar V. había partido de Celeste y que ella, Lola, no hacía sino seguir a su hermana a Madrid.

–¿Qué otra cosa puede hacer Celeste?

Según me dijo Lola, hacía mucho tiempo que Celeste no estaba enamorada de Rei. Eso lo sabía yo también. Sin embargo, se le había planteado un dilema. A Celeste siempre se le planteaban dilemas, como se le hubieran planteado a cualquier conciencia calvinista. El suyo era un dilema moral, es decir, un dilema que concernía a su pragmatismo. Era el siguiente: cuando ella había tomado la decisión de dejar a Rei, no salía con nadie. Sin embargo, ese verano había empezado a verse con un estudiante de Madrid y podía dar la impresión de que yéndose a Madrid le iba siguiendo. Y no era verdad. Por eso el dilema se planteaba de esta manera: después de anunciarle a Rei que dejaban V., ¿debería confesarle que estaba saliendo con otro? Celeste, inteligente al fin y al cabo, era partidaria de no decirle nada.

–Nadie ganaría con ello. A Rei no le interesa saberlo, puesto que ya nada le une a mí, y, de saberlo, sería daño únicamente lo que recibiera de esa noticia. Una vez nos separemos, no volveremos a vernos jamás.

–Nadie sale de la vida de nadie sin dejar una puerta detrás –le había advertido Lola a Celeste, como me contó esa noche la misma Lola que le había dicho–. Puedes utilizar esa puerta o puedes no usarla nunca, pero la puerta queda. Debes ser leal con Rei. Él lo ha sido contigo. No te tiene más que a ti. Debéis hablar. No hay cosa peor que dejar a alguien sin darle una explicación, porque eso es crear-

OTHER MAN.

le la ilusión de una esperanza. Lo mejor es que le desengañes. Dile: «Estoy enamorada de otro.»

–Pero eso no es verdad –había protestado Celeste–. No estoy enamorada de nadie o no estoy segura de estarlo. No puedo mentirle a Rei con una media verdad ni hacerle creer en una verdad que es una medio mentira.

Le pareció que aquella frase, de la que tampoco ella comprendía su significado ni si lo tenía, aplazaba una solución mejor.

Sentir aquel peso sobre su conciencia, la responsabilidad de ser el único y mayor apoyo de Rei, a Celeste lejos de enternecerla o contribuir a que se compadeciera de él, la exasperaba. Ella podía ser una persona débil ante determinadas cosas, pero no había nada que menos soportara una persona débil como ella que otra persona débil.

Lola y yo estábamos pendientes de lo que se hablaba en el cuarto de al lado. A las primeras voces de Rei, siguieron los susurros de ambos. Al cabo de un tiempo se produjo un silencio. Lola y yo también callamos. Con la mirada Lola me interrogaba: «¿Qué ocurre?» Oímos el ruido de la cama, un rítmico, triste y asmático crujido de somier, y al cabo de un rato aparecieron ambos, Celeste y Rei. Los dos traían en los ojos las trazas inequívocas de haber llorado. Volví a pensar que aquellos dos cuerpos jóvenes y sanos habían sido concebidos el uno para el otro. ¿Qué les separaba en definitiva? ¿Conceptos distintos de la vida? ¿La política? ¿Sus temperamentos? ¿Psicologías contrarias? No creo que ni ellos mismos lo supieran. El sufrimiento de Rei empañó mi propio sufrimiento al comprobar que Celeste se iba de nuestras vidas, que salía de ellas, claro que por puertas diferentes, y, contra lo que Lola pensaba, no dejando detrás puerta ninguna. Ni abierta ni cerrada. Quedaba, sí, el eco del portazo con su efecto multiplicador en todas y cada una de las cavernas del alma. Pues un eco como aquél era de los que perdura más que cualquier voz, adelgazándose hasta el infinito, pero para jamás perderse...

Se sentaron junto a nosotros en silencio. Estaban serios, sin atreverse a mirarse ni a mirarnos. Rei reunió el champán que quedaba en las copas, vertiéndolo en la primera que tuvo a mano, y se lo bebió de un trago.

Al cabo de un rato Celeste se dirigió a Lola:

–¿Nos vamos?

Nos levantamos todos, menos Rei que se quedó sentado. Las acompañé a la puerta. Era una despedida inesperada. Celeste me abrazó, me miró a los ojos y me besó los labios de una manera triste. Tampoco esta vez hubo equívocos con aquel beso. Cuánta ternura, cuánto desconcierto y cuántos sentimientos tan puros en aquel beso. Miré los ojos de Celeste, sus pupilas modernistas y venenosas, del color de los lagos. Recordé su mirada en nuestra primera manifestación, aquella mirada que parecía decirnos: «Entendedme, comprendedme, queredme.» Fue la misma que tenía entonces. Me rogó:

–Ayúdale.

Me despedí de Lola y volví a la pequeña salita donde habíamos cenado. Encontré a Rei frente a media botella de coñac, con las mandíbulas desencajadas y unos ojos fríos y duros. Como vidrios sin vida.

[illegible] señalaba mucho en la [illegible] una persona ca-
[illegible] tanto y tan poco [illegible]
como aquella conversación que [illegible] iniciar [illegible]
[illegible]

Cuando me [illegible] en la calle [illegible],
se encontraba [illegible] a su regreso y [illegible] de
la casa por gusto [illegible] y [illegible] podía haber vendido
[illegible] que quedaba [illegible]
[illegible] el que
había dejado en la casa con [illegible] de
negro [illegible]
[illegible] grandes [illegible] y [illegible]
das [illegible]
[illegible]
las que la casa [illegible]
si [illegible] el sueño [illegible]
obstinaba en negarlo.

Lo sucedido con Celeste abrió en su ánimo una
peligrosa vía de agua. Los primeros días reaccionó
con violencia y se mostraba irascible. Le irritaban
los pequeños contratiempos, y lo abatían las mismas
contrariedades que antes le dejaban indiferente o

15

Rei se había vuelto en la cárcel una persona extraña, taciturna, poco comunicativa. Ya he dicho cómo atajó la conversación que intenté iniciar sobre política.

Cuando no estaba en la calle buscando trabajo, se encerraba en su cuarto, el más oscuro y triste de la casa por gusto suyo, ya que podía haber elegido otro más luminoso que quedó sin ocupar. En cierto modo había reproducido en aquel mechinal el que había dejado en su casa con las paredes pintadas de negro. Oía sus discos, leía, escribía en unos cuadernos grandes y redactaba concienzudas y apasionadas cartas que enviaba a diario a Celeste. A veces tardaba en salir cuatro o cinco horas de su retiro, en las que la casa permanecía como una tumba, como si tratara él de arrancarle al sueño lo que la vida se obstinaba en negarle.

Lo sucedido con Celeste abrió en su casco una peligrosa vía de agua. Los primeros días reaccionó con violencia y se mostraba irascible. Le irritaban los pequeños contratiempos y le abatían las mismas contrariedades que antes le dejaban indiferente o de las que sacaba fuerzas. Empezó a comprar la prensa de Madrid cada mañana y a leer las ofertas de trabajo en aquella ciudad. Me comunicó que en cuanto tuviera un trabajo, se iría de V. Rei había decidido seguir a Celeste y recuperarla de nuevo.

–Nada me retiene aquí –resolvió.

Eso era verdad. No podía estudiar, en V. no encontraba trabajo y aunque las relaciones con sus padres dejaban adivinar, por evidentes síntomas, una mejora a corto plazo, se había desentendido de la ciudad, de su familia, de sus viejos amigos.

Rei no tenía otro tema de conversación que Celeste y las razones por las cuales Celeste le había dejado tirado en la cuneta. Seguramente si a Rei aquello le hubiese llegado con unos años más, habría reaccionado de manera bien diferente. No le habría preocupado no hallar una explicación lógica a lo que le venía sucediendo. No encontrarla en ese momento, en cambio, le desesperaba y le convertía en un ser profundamente desgraciado.

Yo le escuchaba horas y horas hablar sobre lo mismo. Con qué escrupulosidad, con cuánta tenacidad analizaba una a una las horas de los últimos seis meses. Como si fuesen lentejas. Las escogía, apartaba las que le parecían a él dignas de mayor atención, y cuando ya tenía aquel ingente montón de hechos y sucesos clasificado en montoncitos y desbrozado, los mezclaba de nuevo y empezaba con idéntico estado de perplejidad, para terminar concluyendo siempre no conforme a los hechos, sino a sus fantasías:

–Es natural que Celeste esté distanciada. Ha sido mucho tiempo. Tengo que ir a Madrid. Es cierto que yo la necesito, pero no menos tiene ella necesidad de mí.

Viéndole sufrir de aquella manera, a uno se le clavaba un punzón en el alma. Me habría gustado desengañarle, echarle agua fría en los ojos y que despertara.

–¿Has pensado –le insinué en una ocasión– que el cambio de Celeste se podría haber producido porque ha conocido a otro?

–¿A otro? Imposible. Me lo habría dicho.

No entraba en sus coordenadas que Celeste se hubiese enamorado de nadie que no fuese él, de manera que por ese lado no sentía la menor inquietud.

Pude haberle referido lo que yo sabía, lo que Lola me había dicho, lo que la misma Celeste me había confiado en el río, pero, ¿para qué? En aquel momento creí que lo más conveniente para él era dejarle que arropara aquellas esperanzas como a débiles criaturas, y confiar en el tiempo. Rei, desde el punto de vista de los afectos, era entonces un hombre pobre al que quedaban únicamente por todo patrimonio las rentas de sus deliquios. ¿Con qué objeto se le podrían haber arrebatado también?

Comenzaron las clases. Como todos los años, la rutina, el hastío, la delicada máquina de la revolución engrasaba sus ejes, sus ruedas catalinas. El reloj de la Historia, con mayúsculas, debía marchar en punto. No podía retrasarse ni un minuto.

Yo temía el encuentro con mis viejos camaradas. Pues no. Se conoce que habían cambiado algunas cosas. Para mi sorpresa, los encontré a todos afables conmigo. Incluso se acercaron a saludarme, y uno, al que conocíamos por el sobrenombre de Modesto, de cuarto, me dijo no sé qué sobre «las fuerzas democráticas de la cultura» a propósito de mi nuevo trabajo en el periódico, y lo necesario que era tener gente de «los nuestros» en los puestos claves de la información.

Fue tal mi sorpresa que no pude por menos que comentárselo a Rei:

–¿No te parece extraño lo que me ha ocurrido esta mañana?

–No.

–Tú sabes que el año pasado hicisteis correr el bulo de que yo era un confidente.

–Yo no.

–Celeste me dijo que sí.

–No. Sólo al principio.

–¿Ha cambiado la consigna?

–Seguramente.

–Nunca hemos hablado tú y yo de ello.

Rei guardó silencio unos instantes.

–Al principio creímos lo que nos contó aquel que vivía contigo. ¿Floro? ¡Qué nombre! Todo apuntaba a que tú eras un confidente, porque todos los que tenían relación contigo cayeron, menos tú. A mucha gente ni siquiera la detuvieron en V. Fueron a detenerla a sus pueblos, a Eibar, a San Sebastián, durante las Navidades. A ti podrían haberte detenido también en***...

»Lo comunicamos a los militantes del exterior. Luego, un día, después de llevar más de tres meses en la cárcel, Gabriel Tejero reunió a todos los camaradas en su celda. A él le había torturado Billy el Niño. No como a Gaztelu. No. A Tejero le torturó a conciencia. Durante los quince días que permaneció detenido en la comisaría deseó la muerte más de una vez. Intentó tirarse por una ventana del cuarto piso, mientras le interrogaban, y en otra ocasión, aprovechando que le habían dejado en un cuarto de baño, se comió una pastilla de jabón. Como en todo, en comisaria unos tienen suerte y otros no. A mí no me pegaron más que media hora, tortazos limpios, en la cara. Me hicieron daño en el momento, pero al rato se me había olvidado. En cambio con Tejero se emplearon a fondo, le golpearon en las plantas de los pies, le dejaron dos días esposado a un radiador, le cubrieron con una manta mojada y le apalearon. Llegó a la cárcel en un estado lamentable, sin poder hablar. Eso lo vimos todos. Después de diez días de tortura física y psicológica, delató a todo el mundo. Dio tantos o más nombres que Gaztelu. Se ve que no le valieron de nada aquellos entrenamientos que hacía. La delación de Tejero nos desmoralizó a todos.

»La diferencia entre Gaztelu y Tejero fue que Gaztelu corroboró ante el juez su declaración a la policía. Cuando le llevaron ante el juez, Tejero negó todo, y a pesar de las esposas, rompió su declaración. Y no sólo eso. Acusó a la policía de malos tratos, lo que era verdad, y se mantuvo firme con su abogado, haciéndole creer que no recordaba nada de los interrogatorios, lo cual era mentira. Cuando le pasaron a la cárcel, debería habernos confesado lo ocurrido, pero guardó silencio. Por vergüenza, por cobardía, supongo. Pero resultaba ridículo querer ocultar una cosa así. Al poco tiempo se tuvo conocimiento de su declaración ante la policía y las cosas empezaron a encajar. Tejero no tuvo más remedio que reconocer la verdad, aunque siguió porfiando en todo momento en que tú eras responsable de su desgracia y de la nuestra. Era como decir: de acuerdo, yo canté, pero Martín es un soplón. Él era el más interesado en creerse la versión de Floro. Necesitaba aquella calumnia para diluir en ella su culpa.

»Volvimos a discutir en la cárcel sobre los delatores y todo lo demás. Tejero aceptó las críticas, y nadie se volvió a meter con él.

–Me parece bien –le dije a Rei–, pero no es justo. No es justo lo que dijeron de mí ni tampoco que se aceptara la autocrítica de Gabriel Tejero y en cambio no la de Gaztelu. ¿Quién va a reparar el daño que se me ha hecho? ¿Tejero?

–No es justo. Es cierto. Tejero era la representación exacta de la conciencia revolucionaria. No se podía tirar por la borda todo. En todos los naufragios hay siempre que salvar algo, y se le salvó a él.

–¡Qué casualidad!

–Eso consiguió Tejero con su capacidad dialéctica. Convenció a todo el mundo de que en sus circunstancias nadie, ni el mismo Lenin, habría dejado de delatar a sus camaradas.

–¿Qué vas a hacer ahora? ¿Seguirás militando?

–No lo creo probable. En la cárcel he cambiado mucho, he pensado en cosas en las que generalmente no pensamos jamás, y menos dentro del partido. He visto a camaradas que fuera luchaban por el comunismo y que dentro te negaban un jersey porque se lo dabas de sí, condenándote a pasar frío, o que escondían bajo el colchón la comida que les enviaban sus familias para no compartirla contigo. Había que aceptar las consignas de una manera más estricta incluso que cuando estábamos fuera. En cierto modo me di cuenta en la cárcel de que vivíamos dentro de otra cárcel peor aún, más hermética, más opresora. La mitad de las cosas no podían discutirse y la otra mitad había que aceptarlas como venían del Comité Central. Se decía siempre: «Cuando en España haya una dictadura democrática del proletariado, entonces se podrá discutir. Ahora no. Las discusiones debilitan el movimiento revolucionario.» Hay que esperar a que España sea una dictadura del proletariado, pero tampoco. Luego habrá que aguardar a que lo sea Andorra, y luego Portugal y luego... y así hasta que no quede un rincón sobre la tierra que no se rija por los principios del maravilloso centralismo democrático...

»Soy el mismo que antes, sólo que un poco escéptico. Nada de lo que estamos haciendo sirve para nada. Todos los años apañamos unas huelgas, todos los años nos meten en la cárcel y expedientan a unos cuantos y todos los años siguen las cosas como siempre. Lee nuestra prensa, nuestra propaganda. Hacen una huelga no sé dónde cuarenta obreros para pedir media hora para comer el bocadillo y nos creemos que va a empezar la Larga Marcha o la toma del palacio de Invierno. Es ridículo.

»Hace tres años, antes de que llegaras tú a V., paró toda la fábrica de la Renault. Seis mil obreros. Estábamos entusiasmados. Se decía incluso que vendría sobre V. en manifestación y que tomarían la ciudad. No había precedentes de algo así en V. desde 1931. Los intelectuales del partido pegaban saltos de alegría. Por fin la clase obrera iba a actuar como decían los libros que le correspondía actuar, a la altura de la historia, como dirigente, como vanguardia. Pues bien. Salieron en manifestación doscientos y al llegar al cruce con la carretera de ***, la policía les dispersó como quien sopla un cenicero. Dos días después volvían los seis mil al trabajo menos cuarenta, a los que pusieron de patitas en la calle, y todos se olvidaron de lo sucedido. Todos, menos los cuarenta despedidos, los intelectuales y nuestros periódicos, para los que aquello resultó una victoria sobre la dictadura.

»Durante los tres días de huelga de la Renault escuchábamos Radio Tirana. Para Radio Tirana, en V. se estaba a un tris de derrocar la dictadura franquista y, según aseguraban, las calles aparecían cada mañana sembradas de barricadas incendiarias. Qué fantasía. Resultaba tan vergonzoso, que daba incluso la razón al periódico del Movimiento cuando se refería a una campaña infamante y orquestada en el extranjero. Si todo lo que decía Radio Tirana o lo que aseguraba nuestra propaganda sobre otras huelgas en otros lugares era igual de fiable que lo que habían dicho de V., íbamos dados. Por otra parte, cuando estás en la cárcel, como cuando estás enfermo, se abre en ti una secreta galería que te comunica con todos los presos, con todos los enfermos, solidarizándote con su dolor, por muy ajeno que te parezca. Los hombres no son iguales cuando tienen libertad, sino cuando se ven privados de ella, de manera que yo preso no era muy diferente a cuantos allí dentro cumplían condena por asesinato o en Rusia por disidentes o en China por reaccionarios.

–Pero tú no puedes ir diciendo por ahí esas cosas. Desmoralizarías a todos –insinué con timidez, como el que se encuentra frente a un fenómeno mecánico de imprevisibles consecuencias.

–¿Y qué? En España no va a ocurrir nada, no sucederá gran cosa. ¿Revolución? Tendremos suerte si llegamos a un pacto. Sería gracioso que después de todo lo que hemos atacado a los de las Juventudes, llevaran razón. Habrá dictadura hasta que Franco se muera. Si algún día cambian las cosas será porque tienen que cambiar, porque las cosas cambian, no por lo que hayamos hecho tú o yo. Y nunca cambian para mejor ni para peor. Cambian, en el fondo, para lo mismo. Entre un cadáver y una rosa no hay gran diferencia: sólo unos años.

–¿Sabes –continuó– lo que me dijeron cuando una semana antes de salir de la cárcel pregunté cómo y con quién me organizaría a la salida? Al principio me convencieron de que necesitaba descansar, de que la experiencia de la cárcel había diezmado mis fuerzas. En otras palabras: que me licenciaban de momento. Discutimos y me advirtieron de las herejías revisionistas en las que estaba incurriendo últimamente. El propio Tejero fue quien enarboló la metáfora de la manzana podrida que debe ser apartada del resto. Se conoce que a todo el mundo le gusta contármela. Estuvimos a punto de llegar a las manos. Entonces Tejero, fíjate bien, Tejero, me amenazó con un centro de reeducación el día que España fuera socialista.

»Ríete –siguió diciéndome Rei–. Si algo así me lo dijo Tejero siete meses después de delatarme en la comisaría, ¿de qué no será capaz alguien que no ha pasado por la cárcel ni es un delator? Ése no me envía a un centro de reeducación, ése me arrastra a la cámara de gas.

Después de esa vez Rei y yo no volvimos a hablar de política.

Ni siquiera le apetecía que le contara cosas de la facultad. Tampoco le gustaba recordar los días de la cárcel.

Por esas fechas, dos o tres semanas después de irse Celeste a Madrid, Rei adquirió la costumbre de emborracharse cada noche. Lo hacía con coñac. Eran borracheras dramáticas. A última hora, hacia la medianoche, me pedía prestadas unas cuantas monedas, las juntaba con las suyas y bajaba a telefonear a Celeste.

Le veía desde la ventana atravesar el paseo dando tumbos y meterse en una cabina, malamente iluminada por una farola, a vista de las aguas del río.

Subía luego desencajado, con aquel tic seco y nervioso del párpado mucho más acusado, y terminaba la noche cuando terminaba la botella, desplomado sobre la mesa.

Celeste unas veces le colgaba el teléfono, otras se enfurecía, otras le pedía a Rei sollozando que por favor la dejara en paz. A veces me llamaba al periódico y me rogaba llorando que hiciera algo.

Metidos ya en el mes de noviembre, las cosas empezaron a marchar mal incluso entre Rei y yo. Rei, que se declaró impotente para conseguir un trabajo, se acostumbró a pedirme dinero prestado. Siempre se lo presté, incluso sabiendo que era a fondo perdido. Aunque no se lo recordase nunca, saber que me debía dinero le irritaba sobremanera y aprovechaba cualquier fruslería doméstica para descargar toda su amargura y reconcomio. Pasadas las horas, llamaba a mi cuarto y, aunque no se disculpaba, se sentaba en un rincón, sin hacer nada, sólo para mirar cómo leía yo o cómo dibujaba, y sentirse acompañado, entrando entonces nuestra relación en esos tiempos muertos que consolidan una amistad.

A finales de noviembre, como era costumbre, las primeras asambleas de facultad brotaron con la virulencia de las higueras en las ruinas. Tras las asambleas surgieron las manifestaciones, pero las manifestaciones llegaban no sin estreñimiento, porque siempre han sido cosas distintas predicar y dar trigo. Es decir, lo de costumbre: pasos de baile, guardias arriba, abajo, manifestantes a un lado, al otro, nervios, miedo, risas, locuras de juventud, cimientos para la solemnidad de tiempos venideros.

Como todos los años, la primera manifestación se hizo desde la facultad a la plaza de España y por primera vez puede decirse que fui a una manifestación tranquilo.

Siempre llevaba conmigo el carnet del periódico, que imaginaba me serviría como el escapulario de los carlistas. Los mismos efectos del «deténte bala». En mi carnet yo me hacía la ilusión de leer un «deténte guardia».

Una vez en una de aquellas manifestaciones descubrí a Rei entre el grupo de cabeza.

–Ha sido una temeridad –le recriminé en casa–. Estás en libertad condicional. Y por otra parte, ¿no me habías dicho que no querías saber nada de todo esto?

–Sí, pero, ¿qué puedo hacer?

Meses después pensaría mucho en aquella respuesta y ahora tendría que dar aquí una explicación más o menos novelesca a esas palabras de Rei y a su comportamiento de aquel día, pero me temo que no se ajustaría a la realidad ni tampoco, por consiguiente, a la verdad. En una novela, en una obra artística, los hechos se van sucediendo armoniosa y paulatinamente. Los hechos en una novela se ajustan siempre a unas reglas. En la vida lo normal es que se precipiten sin conexión, deslavazados, descabalgados como los tomos de una biblioteca ruinosa o los vagones que yo veía siempre estacionados en unas vías muertas.

Es cierto y verdad que Rei me había asegurado unas semanas antes que estaba desengañado de todo, hastiado de la política, de sus antiguos camaradas. También que estos antiguos camaradas le habían apartado del partido. ¿Qué significaba entonces la presencia de Rei en aquella manifestación? ¿Había sido una casualidad? ¿Habían cambiado los camaradas con respecto a él como habían cambiado con respecto a mí? ¿Se habían, otra vez más, trastocado las condiciones objetivas?

Tal vez fuese que Rei tampoco podía o quería cerrar una puerta a sus espaldas. Quizás también él estaba, sin saberlo, pronunciando las palabras del príncipe Andréi en *Guerra y paz*: «¿Para siempre? Nada de lo que sucede es para siempre.»

16

Con el invierno llegaron las nieblas a V. y la ciudad conoció de nuevo sus fríos arteros, se empañó de augurios, y más sombría que nunca se aprestó para servir de escenario a un inesperado desenlace. Algunas mañanas incluso parecía una emanación del río, tan borrosa, húmeda y difuminada se dibujaba contra el gris del aire.

Desde la ventana de nuestra salita veíamos pasar a los oscuros transeúntes con los cuellos de sus abrigos levantados. A veces no eran más que borrones sepultados bajo negros y amplios paraguas, venidos de Dios sabe dónde camino a ninguna parte. Otros días entreveíamos, como en medio de una bruma marina, el espectro imperturbable de la vieja chimenea de la tejera.

Me acostumbré a tener que trabajar y estudiar al mismo tiempo, porque aprendí que el secreto no era trabajar y estudiar. No. No era preciso trabajar ni estudiar. Bastaba con acudir a los lugares donde se impartían las clases y donde yo dejaba mis cada día más pintorescas informaciones, para que todo simulara avance. Pero en realidad las cosas, como el mástil inmóvil de la fábrica de tejas, como aquella chimenea milagrosamente intacta, permanecían quietas, en esa inmovilidad del acto puro, sin un antes ni un después, en un presente dudoso. Yo estaba en V.: ésa era la única cosa real, aunque no por ello menos incierta. Lo demás no eran sino suposiciones, psicologismos, literaturas muertas como la ciega chimenea, como la muda sirena de las ruinas industriales de la otra ribera del río.

Por su parte Rei, a la desesperada, viajó en dos ocasiones a Madrid. En vista de que no podía dar desde V. el salto que lo pusiera al lado de Celeste, intentó internarse en la selva madrileña. Para el primero de estos viajes solicitó mi ayuda financiera, permaneció durante una semana en una pensión de la calle Carretas, mientras buscaba sin éxito una colocación que le conviniera, y al cabo de siete días se retiró derrotado. La segunda vez, a los tres días, hizo lo mismo, pero con dinero de otro. Me parece que de su madre. De aquellos viajes no trajo sino más amor por Celeste, más desesperación y la certeza de que sólo un golpe de suerte volvería a poner de nuevo las cosas como las conoció antes de su detención.

Rei estaba cada vez más a merced de fuerzas desconocidas y descomunales, que no podía prever. Quien hubiera tenido la virtud de adivinar el futuro, de leer en las vísceras del tiempo, habría visto en Rei uno de esos restos de naufragio con el que las olas juegan horas y horas sin sacarlo definitivamente a la playa, pero tampoco sin devolverlo a las entrañas del mar, de donde lo arrancaron de una paz definitiva. Así fueron aquellas dos primeras semanas de diciembre para él. Tan pronto amanecía lleno de entusiasmo, tan pronto, esa misma tarde, se ahogaba en una botella de coñac.

Fue entonces cuando empezó a tomar tranquilizantes y somníferos por las noches, cuyos efectos se sacudía a base de estimulantes a la mañana siguiente, precipitados unos y otros en alcohol o en tazones de café cargado.

Sus nervios empezaron por esta razón a tensarse de tal manera que la mínima fricción arrancaba de él gestos y actos agudos e involuntarios, por lo general estridentes, inarmónicos.

Me decía: «No aguanto más, no puedo resistirlo.» Cuando llevaba mucho coñac bebido, se preguntaba: «¿Por qué? ¿Por qué?» Eso era cuanto había sacado en limpio después de analizar su vida, su relación con Celeste, lo acaecido en el último año, después de desmigarlo todo durante horas y horas. Sólo una pregunta. Otras veces, en cambio, me aseguraba. «Celeste busca como todas las mujeres poder, seguridad y protección. Si te tambaleas frente a una mujer en una ocasión, estás perdido para siempre.» Como tantos, daba la impresión de haber entrado en la misoginia por la puerta grande, en el odio universal a todas las mujeres por el odio particular a una de ellas. Pero era evidente que Rei buscaba en todas estas ambiguas revelaciones un antídoto para su relación con ella, violentos pellizcos que él mismo se propinaba intentando despertar de aquella pesadilla.

Las cartas que Rei enviaba a Celeste quedaban sin contestación y la mayor parte de sus llamadas a Madrid se estrellaban contra una mujer impotente que sólo era capaz de repetir una y otra vez: «Por favor, deja de llamarme.»

Fue por esas fechas cuando Rei concibió la idea peregrina de asesinar a Celeste y darse muerte a continuación. Se refería a eso con toda seriedad, con profesionalidad y poco romanticismo. Creo incluso que aquel proyecto lo desligaba de la idea de la muerte. Rei con aquel plan no estaba cayendo en brazos de la muerte, sino escapando de los de la vida, que le atenazaban el corazón.

Yo decidí lo normal en esos casos. Tomármelo a broma.

–¿No me crees? Verás de lo que soy capaz.

Celeste me telefoneó llorando, presa de un ataque de histerismo. Rei había tenido la audacia de comunicarle su plan, como el cirujano que habla con serenidad a su equipo media hora antes de meterse en el quirófano. Para Rei era evidente que sólo la amputación de aquel amor gangrenado podía salvarle. No pensaba, como se ve, en la muerte, sino en una pronta recuperación.

Traté de convencer a Rei de que no amenazara a Celeste, pero Rei negaba, primero, que la amenazara y luego adoptaba dos posturas, según su estado fuese de sobriedad o ebriedad: o me amenazaba a mí directamente, pidiéndome que me ocupara de sus asuntos, o guardaba silencio.

El doce de diciembre Rei no vino a dormir. No me pareció extraño. Alguna vez pasaba la noche fuera.

Durante todo el día siguiente no lo vi y tampoco la siguiente vino a dormir a casa. Seguí sin encontrar nada de anormal en ello. Sólo a la tercera ausencia empecé a interrogarme por su paradero. No a inquietarme. Quien haya pasado alguna vez por la experiencia de un accidente fortuito, sabrá de lo que hablo cuando digo que la frontera entre la fortuna y la desgracia, entre la vida y la muerte, entre un destino y su contrario es muy frágil. Las telas de araña se tejen con hilos a veces sólo visibles cuando un rayo de sol los ilumina, y los hilos del destino de Rei sólo cuando los iluminó un profundo e intenso dolor se nos hicieron visibles.

Telefoneé a Celeste, y Lola me comunicó que hacía dos días que su hermana estaba fuera de Madrid. No sabía dónde exactamente. A Lola no quise decirle nada ni alarmarla.

Eso me decidió a ponerme en contacto con la familia de Rei.

Lo que sabía de su padre hizo que se me quebrara la voz, al escuchar la suya al otro lado, seca y distante. Le expliqué, con sintaxis atropellada, la situación. El coronel Rei me escuchó en silencio. Sólo cuando acabé de exponerle los hechos, carraspeó y me preguntó:

–¿Cómo ha dicho que se llama usted?

Aquel usted me dejó helado. Le di mi nombre con el convencimiento de que lo apuntaba en una lista de depuraciones inminentes. Pero no. Empezó por disculparse conmigo, y su voz se tornó inaudible. Celeste, una vez más había tenido razón: aquel hombre era un ser vulnerable y débil. Le costaba encontrar las palabras. Buscaba en mí quién sabe si el perdón o la comprensión de su hijo, por vía interpuesta.

–Los padres –y sus palabras temblaron al otro

lado– sufrimos por los hijos. No dialogamos, no somos tolerantes los unos para los otros. Usted vive con él. Hable usted con él. A usted le hará caso.

Resultaba difícil creer que aquel hombre que me exponía un ingente montón de lugares comunes era el mismo que se había negado a visitar a su hijo en la cárcel y el mismo que lo había expulsado de casa. ¿O acaso sólo era una versión, la de Rei, entre otras posibles y contradictorias? Me costó un rato hacerle comprender que le llamaba justamente porque hacía cinco días que nadie sabíamos de su hijo. Cuando al fin se hizo cargo de lo que se trataba, se alarmó.

–¿Cómo dice? ¿Cómo dices? –y pasó, definitivamente del usted al tú–. ¿Seguro? ¿Cuándo?

Quedé citado con él en la comisaría. Hasta ese momento no se me había ocurrido que a Rei podían haberlo detenido.

El padre de Rei vino vestido de paisano, con un abrigo de pelo de camello. Era eso que se entendía hace treinta o cuarenta años por un caballero distinguido. Tenía las sienes plateadas cepilladas con esmero, lo mismo que su bigote. Bajo los ojos le colgaban dos bolsas fláccidas y de color ambarino. Andaba derecho, con los hombros y los codos hacia atrás. Tenía un aspecto triste; elegante, pero triste. Antes de tenderme la mano, se quitó un guante de color gamuza. Los ojos claros le delataban como padre de Rei y las canas de su pelo dejaban aún que se adivinara que había sido, como su hijo, pelirrojo.

En la comisaría nos aseguraron que allí no estaba detenido. Tampoco tenían noticia de accidentados cuyos datos y señas respondieran a los que dimos de Rei. Las preguntas que hacíamos eran contestadas con desgana por un hombre que estaba en ese momento devorando un bocadillo. Era evidente que nadie ni nada iba a apartarle de aquel cometido. Fue entonces cuando el padre de Rei se identificó como militar. Exhibió incluso su graduación. Las cosas cambiaron. Aquel policía guardó atropelladamente el bocadillo en un cajón y con migas todavía espolvoreadas por los arrabales de la boca, telefoneó él mismo a la Guardia Civil.

Salimos de comisaría en silencio. Apenas habíamos intercambiado las imprescindibles frases de cortesía. En la misma entrada, el padre de Rei me dio las gracias y expresó su deseo de que Pepito, como le llamó, volviera pronto a franquear el umbral de su casa. También el coronel pensaba en puertas dejadas a la espalda. ¿Cerradas? ¿Abiertas? Se puso los guantes, remetió la bufanda bajo las solapas del abrigo y se despidió. Hacía frío. Su adiós fue una nube de vaho que se confundió con la niebla, aquella espesa niebla que acudía cada noche a la vieja ciudad de V. en busca de su leyenda.

te en el que por fin me sentí libre. Fernando protesta-
ba y decía luego que la corriente nos arrastraría con
lentitud. A esa hora no había en el río ningún otro
barco y las últimas golondrinas bajaban a beber
hasta el agua, rozándola con la punta del ala. El río
era ancho y el cielo tan azul y profundo como aquel
[illegible]
[illegible]
[illegible].

Se quedó pensativo, quizá sobre el recuerdo de
aquel tiempo [illegible]
[illegible] para todos.

[illegible]
[illegible]
[illegible]
[illegible].

[illegible]
[illegible]
[illegible].

[illegible]
[illegible].

[illegible]
[illegible]
[illegible]
[illegible]
[illegible]
[illegible]
[illegible]
[illegible]
[illegible]
[illegible]
[illegible]
[illegible]

17

A partir de entonces el padre de Rei y yo nos telefoneamos dos veces al día. Las noticias eran siempre las mismas: Rei no había aparecido ni dado señales de sí.

Al principio no me atreví a confesarle al coronel mis temores, ni le hablé de Celeste ni de las amenazas lanzadas por su hijo contra ella.

En ningún momento pensé que aquello adquiriera la corporeidad de lo real, sino esa sutil sustancia de que están formados los sucesos de los periódicos, que conocía tan bien porque yo mismo los redactaba muchas veces. Acontecimientos a medio camino de la fantasía, lo excepcional y lo remoto. Fantasía, porque no podía ser verdad que Rei hubiera dado cumplimiento a sus bravatas. Excepcional, pues toda muerte lo es. Y remoto, porque siempre nos creemos que hechos como aquél ocurren, sí, aunque siempre lejos y a otros, haciéndonos víctimas a todos (los que nos encontramos a uno u otro lado del suceso), de esa refracción que es creer que todo lo que aparece en un periódico ha dejado de ser verdad para ser historia, dejando de ser presente para convertirse en un pasado remoto e inoperante.

La misma Dolly, que sospechó siempre mis sentimientos hacia Celeste, me tranquilizaba.

Y, por suerte, Celeste apareció a los dos días, ignorante de todo lo que a nuestro alrededor estaba ocurriendo y ajena a todos mis temores. Pero Rei, del que tampoco ella sabía nada, siguió sin dar señas de sí.

Se sucedieron las conjeturas. ¿Habría pasado la frontera y pedido asilo político? ¿Se habría embarcado, como había sido su intención en un momento?

Decía que las fechas son importantes.

Tratamos, entre todos, de reconstruir los últimos días en los que vimos a Rei. Siempre me había sorprendido la memoria que tienen los testigos de juicios, en las películas, para detalles insignificantes ocurridos mucho tiempo atrás. Me decía: «No pueden recordar algo que pasó hace tanto tiempo y que en el momento en que sucedía no tenía la menor importancia. Es imposible.» Me equivocaba. No sabe uno las cosas que somos capaces de desenterrar y reconstruir hasta que no nos mueve un temor, una angustia, una ansiedad como la que sentíamos entonces. La familia por un lado, yo por otro. Incluso Celeste.

Celeste me rogó que no le hablara de ello a su padre. Quería mantenerse al margen. Estaba asustada. Una vez más. Por mucho que hubiera aprendido en ese terreno, era su naturaleza la que le aproximaba al miedo. Su voluntad hacía lo que podía, el viejo caballo no aceptaba la monta.

El padre de Rei vino a mi casa de la Rosaleda. Lo pidió él mismo. Fue curioso verle entre los libros de su hijo, entre sus pertenencias. Sólo entonces comprendió qué ajeno le era. Resultaba fácil adivinar que se enfrentaba con un desconocido más que con un hijo.

El día veintidós de diciembre yo, como de costumbre, viajé a *** para pasar las Navidades, aquel año reducidas por causa de mi trabajo.

Hablé con el padre de Rei por última vez ese mismo veintidós y le dije:

–Si tiene alguna noticia nueva, llámame a este teléfono de *** –y le di el número de mis padres.

En cierto modo habíamos entrado todos en la rutina de la desaparición de Rei. Su ausencia se había llegado a convertir, sólo en el corto espacio de diez días, en algo imperceptible, inaudible, como el sordo zumbido de la muerte.

El veinticuatro por la mañana, por fin, recibí una llamada del padre de Rei. Unos niños habían encontrado a Rei ahogado en el río, frente a la fábrica de harina.

Era la suya una voz seria, sin matices, opaca. No era siquiera la voz que yo había escuchado la primera vez. El carácter definitivo de los hechos la había incluso adornado con un nuevo color: parecía la de un funcionario harto de proporcionar una información que para él hace mucho tiempo no contiene la menor novedad ni el menor interés.

–¿Eres tú? –carraspeó y añadió–: Lo han encontrado ahogado esta mañana en el río.

Se me fue el habla. Se produjo un vacío, un largo silencio. No supe qué decir. Creo que hice algunas preguntas que se tiñeron de un dramatismo involuntario. Él tuvo la educación de escucharlas en silencio. Incluso agradecerlas. Quise percibir, mientras escuchaba su respiración al otro lado del hilo, que me envidiaba por conocer de su hijo mucho más de lo que él había conocido nunca. Como siempre ocurre, la muerte falseaba todas las perspectivas. Era la suya la respiración de un hombre al que destrozaban dos hondos dolores: el de la desaparición de su hijo y el de la culpabilidad. Me habría gustado confortarle: «No sufra. De un muerto nadie sabe nada.» Pero no se lo dije. Eran, o me lo parecían, palabras verdaderas que él no se merecía. Tampoco le habrían servido de nada. Después de unos instantes sin saber qué decirnos, colgamos.

Quedé espantado de mi propia frialdad. No sentía nada. Me encerré en mi cuarto. Quise llorar, pero tampoco lo logré. Tal vez aquella dureza mía instintiva fuera la hombría, lo que hace que los hombres sean hombres, y encendí un cigarrillo. Traté de recordar la cara de Rei, y se había borrado de mi memoria. Hice el esfuerzo de representármelo vivo, pero resultó inútil. Únicamente me sorprendí repitiendo, en voz muy baja, un «no, no, no», como cuentas de un rosario, al tiempo en que fui, poco a poco, deslizando mi espalda por la pared, hasta sentarme en el suelo. Me abracé a mis rodillas y abandonado a aquel triste toc, toc, toc que me golpeaba el pecho, aquel penoso «no, no, no», lloré, entonces sí, lágrimas de niño chico, y la ceniza se cayó en la alfombra.

Yo había quedado citado con su padre para el día siguiente, día de Navidad, directamente en la iglesia de los jesuitas, donde se iba a celebrar el funeral.

El que no haya hecho nunca un viaje en tren el día de Navidad, de madrugada, para asistir a un funeral, no sabe lo que es la tristeza, no sabe lo que es la soledad.

Yo miraba aquel paisaje castellano, blanco de escarcha y de barbechos calcinados. Iba adormecido por el traqueteo del tren, abismado en consideraciones estancadas, heladas también, como las tristes charcas que se veían al borde de la vía. Viajaba solo en el compartimiento y no vi a nadie durante el trayecto, de dos horas, ni siquiera al revisor que pica los billetes.

No había ni una sola alma por las calles de V. La ciudad permanecía vacía, en el feliz sueño de una noche feliz. Al entrar en la iglesia un frío polar se me metió en los huesos y tuve deseos de salir corriendo de allí, de la ciudad, y huir lejos de todo aquello.

El oficiante, vestido de negro, le bisbiseaba sus oraciones a un micrófono que empastaba todas sus palabras sin que nadie lograse adivinar el significado de una sola de ellas. Descubrí al padre de Rei en el primer banco, de pie junto a una mujer que supuse sería la suya. Entre los cuarenta o cincuenta asistentes, no descubrí a nadie conocido.

Terminó la misa y en el mismo atrio de la iglesia se intercambiaron apresuradamente las citas, horarios, itinerarios, los que tenían coche para ir al cementerio, los que no...

Al llegar al cementerio, distinguí, un poco apartadas, la una junto a la otra, del brazo, con sus cabezas inclinadas, llorando, a Lola y a Celeste. Les había avisado el propio padre de Rei, pero jamás supimos quién le había dado a él el teléfono. ¿A quién había hablado Rei de Celeste aparte de a nosotros? ¿A algún hermano? Un misterio. Todos los muertos se llevan consigo alguno de estos pequeños misterios no más intensos que llamas de vela. Misterios que lucen unas horas y que terminan por consumirse para siempre.

El viaje de Lola y Celeste, desde el País Vasco, había resultado tan penoso y sombrío como el mío. Me quedé a su lado mientras un cura gordo, coloradote, con una sotana que le llegaba por la pantorrilla, escupía unos responsos a toda velocidad. Fueron metiendo el féretro en un nicho ante la perplejidad general. Sólo las hermanas de Rei lloraban. Advertí que la madre de Rei había desaparecido.

El padre de Rei pasó junto a Lola y Celeste, a quien no reconoció, quizá porque llevaba unas gafas negras.

–Mañana –me indicó a mí– pasaré con alguno de mis hijos a recoger sus cosas.

A los pocos minutos huyó todo el mundo de allí apremiado, urgido por falsos quehaceres, felices en el fondo de volver a la vida, y el cementerio se quedó tan vacío y solitario como antes.

Nadie había reparado en nosotros, nadie nos había invitado a subir a Celeste, a Lola o a mí a ninguno de los coches que parecían abandonar, desertar de aquel lugar siniestro, que amenizaban con obscenidad inocente unos cuantos gorriones.

Hacía un solecillo agradable, el suficiente para

hacernos creer que no sentíamos el frío y convencernos de que entre la vida y la muerte existía todavía aquella pequeña diferencia.

Nosotros tres decidimos volver andando a V.

Celeste y Lola regresaban esa misma tarde a su Vitoria. Yo, en cambio, me quedaba. Almorzamos los tres en la cantina de la estación. Como siempre, en su rincón, se encontraba el viejo temblón de los preservativos. Fue una triste comida de Navidad.

Hablamos de Rei. Recordamos algunos momentos felices de su vida. Nos parecían lejanos. Tuvimos la sensación de que muchos pasaban ante nosotros con esa distante monotonía que nos produce un álbum familiar del cual nos son extrañas la mitad de las fotos. Estábamos desangelados, igual que naipes de un solitario que alguien ha dejado a medio hacer, olvidado, abandonado sobre una mesa. Tuvimos la certeza de que aquella muerte prematura marcaría la vida de todos nosotros, aunque no supiéramos todavía cómo. Sin embargo, nos guardamos muy mucho de expresar solemnidades inoportunas. Su muerte lo hacía innecesario.

Le debíamos a Rei algo más que su romántica juventud y su romántica desaparición. Le debíamos, sin duda, la decencia de unos cuantos años oscuros. Más que oscuros, oscurantistas, con nuestro Santo Oficio y nuestros actos de fe, nuestros herejes y nuestras persecuciones. Los años del miedo. Le debíamos, y Dios me perdone, la oportunidad de su muerte, porque con ella quedaban aquellos años clausurados definitivamente. Rei era la puerta de todo ello. Esa puerta que él mismo tuvo la delicadeza de cerrar cuando se fue. De no haber sido así, ¿cuántos años más habría permanecido abierta, a merced de todos los oportunistas y salteadores de ideas e ideologías? Y ni siquiera fue un portazo. Simplemente la cerró como si no quisiera despertar al mundo.

–¿Os dais cuenta? –nos interrumpió Celeste–. Nadie nos ha dicho de qué ha muerto José. No sabemos nada...

–¿No es mejor así? –le dijo Lola.

Celeste se echó a llorar. Lágrimas de silencio, de insobornables recuerdos:

–¿Por qué rompería todas sus cartas? No me queda nada de él...

Todo el rencor de Celeste hacia Rei había desaparecido, toda la amarga memoria de las últimas semanas se evaporaba para dejar paso a un sentimiento que debía creer imposible en ella: el de culpa. El dolor de Rei, el amor de Rei, que hasta hacía unos días no conseguía sino irritarla, adquirió de repente dimensiones inusitadas, sumergiéndose en las aguas de su conciencia con la majestad de un templo antiguo.

Nos despedimos sobre el mismo andén e hicimos los planes para reunirnos de nuevo en circunstancias más felices, sin sospechar siquiera que jamás volveríamos a vernos.

Esa noche apenas pude dormir. Ni siquiera pude pasarla con Dolly, porque Dolly estaba en Madrid. Todo en la casa de la Rosaleda le recordaba a él.

Sobre el aparador, una botella de coñac mediada, tal y como la había dejado él, delataba su huida. Cada silla no era una silla, sino un lugar donde él había estado sentado; cada vaso, el vaso que sostuvieron sus manos, la toalla que dejó tirada sobre la cama...

Las cosas adoptaron por un instante la fisonomía trágica de su desaparición y el enigma de una pregunta sin respuesta.

Igual que el día del entierro, me habría gustado escapar, desertar también yo para siempre. Todos aquellos recuerdos iban cayendo en mi interior con el desorden de esos materiales inútiles que guardamos con obsesiva incontinencia en una caja, tuercas viejas y tornillos, enchufes fuera de servicio, herramientas aparatosas o de las que apenas sabemos hacer uso, cables de despelujadas cabelleras de cobre, restos de fracasadas reparaciones... Todo guardado allí, en amasijo informe, a la espera de que un accidente imprevisto nos obligue a buscar en sus entrañas lo que nos devuelva la luz o el agua o sencillamente eso que llamamos vida.

A la mañana siguiente, como me había anunciado, se presentó el padre con uno de sus hijos menores para llevarse las pertenencias de Rei. Fueron bajándolas en silencio, ropa, libros, viejos zapatos. Nada hay tan deprimente como los zapatos de un muerto. Debajo de la cama guardaba Rei una maleta. Pesaba como un mundo. La sacaron, forzamos su cerradura y la abrimos.

Nos quedamos estupefactos ante el espectáculo de veinte kilos de propaganda.

–¿Esto? –interrogó el padre.

–Sería de él –aventuré yo–. Mía no es.

El padre no quiso hacerse cargo de aquella maleta, volvió a cerrarla, como si su contenido le desagradara sobremanera, y se marchó.

Por la fecha, la propaganda era reciente, de no hacía siquiera un mes. Otro más de los misterios que se llevó a la tumba.

Tampoco yo sabía qué hacer con aquella propaganda. Lo más prudente era deshacerse de ella, pero me lo impidió la policía, que se presentó a las dos horas. Un regalo del padre de Rei. Venían a tiro hecho. Preguntaron por la maleta y se la entregué sin resistencia.

En la comisaría abrieron la maleta en dos mitades sobre la mesa del comisario, satisfecho de tenerme tan cerca del cuerpo del delito. Durante más de cuatro horas repetí la verdad: que yo no sabía nada. Luego entregaron al comisario una carpeta con mi ficha y salieron a relucir viejas cuitas. Quien sostenga que agua pasada no mueve molino, no sabe de lo que está hablando. A la hora del almuerzo me tiraron en un calabozo y me dejaron solo durante seis horas. Sólo acertaba a decirme: «¿Por qué las cosas tardan en suceder años y luego se precipitan de tal manera? ¿Cómo podría parar estos acontecimientos, salir del laberinto, olvidar todo cuanto me está ocurriendo?» Y sobre la tumba de Rei creció la primera flor, la de un sordo reproche: «¿Por qué había metido aquella maleta en casa?»

Tenía hambre, pero nadie se acordó de que yo continuaba allí.

A las nueve de la noche oí pasos en un corredor, abrieron la puerta y me condujeron de nuevo al despacho en el que había pasado la mañana.

El comisario mantenía una animada conversación con un hombre que me daba la espalda. El guardia que me acompañaba me detuvo en la entrada. El comisario contaba asuntos de su familia. Observé que se habían llevado ya la maleta. Cuando el comisario se percató de mi presencia, se interrumpió, salió de detrás de su mesa y me presentó a su interlocutor.

–Ahí lo tienes.

El desconocido se volvió.

–¿Qué haces aquí? –exclamé sorprendido.

–Vamos a casa –me ordenó el tío Narciso–. Y gracias por todo –añadió tendiéndole la mano al comisario y abriendo a continuación los brazos con impotencia, gesto este con el que mi tío quería subrayar que en todas las familias hay por desgracia una oveja negra.

Recorrimos un laberinto de pasillos y escaleras hasta vernos en la calle. Pasillos pintados de verde, puertas pintadas de verde, zócalos pintados de un verde viejo, saltado, sucio. Me llevaba abrazado por el hombro.

–Me avisaron esta mañana –dijo por fin el tío Narciso–, pero no he podido venir hasta ahora. Te advertí hace mucho que tuvieras cuidado con ese tal Rei. No me hiciste caso. Has visto que yo tenía razón. Por esta vez te has librado. La próxima, nadie podrá hacer nada por ti.

Aprovechó para sermonearme un poco. Manifestó que yo merecía un castigo, pero también una oportunidad, y más después de haber llegado a sus oídos que yo me había apartado de las malas compañías.

Mi tío estaba, como siempre, eufórico, lleno de grandes frases por todas partes y me felicitó por mis artículos en el periódico, que juró leer todos los días. No quise preguntarle cómo los reconocía, porque hasta la fecha me los publicaban sin firma o con pseudónimo. Era su estilo inconfundible.

Nos recibió en la calle ese frío que nos recuerda que acabamos de abandonar un lugar con una calefacción excesiva. Respiré hondo, como si acabase de cumplir una condena de treinta años.

En el fondo le estaba profundamente agradecido, pero una vaga dignidad me impidió darle las gracias. La verdad es que no me las pidió. Estaba deprimido y cansado.

–¿Qué quieres hacer?

–¿Ahora?

Me invitó a tomar una copa con él. No quería volver a la Rosaleda. Me habló de un lugar tranquilo llamado Caribia. Le acompañé hasta su coche. En el asiento delantero le esperaba una mujer.

–He venido con una amiga, a la que tenemos que dejar antes en su casa –me informó.

Hizo mi tío unas presentaciones absurdas, como lo son cuando se hacen dentro de un coche.

La mujer, sepultada en un abrigo de pieles, emergió de él y volvió la cabeza.

–Paloma –dijo mi tío–, éste es mi sobrino Martín.

Nos revolvimos todos con dificultad.

Dolly y yo nos miramos. Fue unos de esos segundos en los que somos capaces de comprender los más complejos problemas cósmicos. Mucho más aquella escena. Dolly me tendió por encima del abrigo de pieles su mano delicada, de la que pude alcanzar únicamente la punta de los dedos. Y me miró a los ojos.

El tío Narciso, ajeno a la escena, maniobraba con manos y codos para poner en marcha un coche que olía a nuevo.

Dolly, tan sorprendida como yo, no dijo nada y permaneció un rato con la cabeza vuelta hacia el asiento de atrás. Arqueó imperceptiblemente las cejas, pero en realidad, conociéndola, le habría gustado encogerse de hombros.

En la turbación de Dolly podía leerse un: «¿Cómo no me dijiste nunca que tu tío era...?» En la mía había una decepción no menor: «¿Cómo iba a suponer yo que el viejo amigo del que hablabas a veces era...?»

Faltó muy poco para que yo soltara una carcajada, no tanto por parecerme aquél el desenlace de una comedia de enredo, como por agotamiento, nervios y cierta fatal mordacidad. Para entonces mi tío nos llevaba, en medio de su animada conversación y una carrera veloz, rumbo al Caribia.

Estuvimos tomando una copa en aquel sitio absurdo lleno de hombres de negocios, todos camino ya de la calvicie o de las canas, durante una hora.

Al final, Dolly se había negado a quedarse en su casa y pidió que la llevásemos con nosotros. Mi tío Narciso hizo gala de ser un consumado maestro en el arte de la infidelidad, pues nada de cuanto hizo o dijo podría inducir a que se pensara que lo era.

Desde entonces, desde la noche en que me rescató de la comisaría, mi tío Narciso venía a buscarme algunas tardes a la redacción del periódico y me llevaba de ronda por ahí, a veces solos los dos, a veces acompañando a Dolly.

Pero a Dolly únicamente volví a verla a solas en

una ocasión, una semana después de aquel inesperado encuentro.

Esa noche, Dolly me habló de aquellas cosas de las que siempre prometió hablarme, pero de las que guardaba absoluta reserva. Era su historia. Contó cómo había conocido al tío Narciso en Sudamérica hacía veinte años, ya casada, cuando el tío Narciso le instalaba a su marido no sé cuántas granjas de pollitas ponedoras. «Era casi una niña», susurró en un eco. Me contó cómo se enamoraron, el sufrimiento que fue vivir al lado de su marido, la separación y la llegada de ella a V., para reunirse con él... Después vendrían tiempos de sueños, promesas, decepciones. Ni mi tío Narciso se separó de su mujer ni Dolly quiso tampoco abandonar aquella ciudad, y su relación, de la que estaba al corriente todo V., por lo que supe muchos años después, entró en cierta desalentadora rutina...

Hablamos hasta el amanecer. En cierto momento los ojos de Dolly se nublaron, igual que su memoria. Fue ésa la última vez que me quedé a dormir en aquella casa.

No digo que como extraños, pero cuando nos volvimos a ver en presencia del tío Narciso yo tenía la sensación de que todo lo ocurrido con Dolly le había sucedido a otra persona, no a mí. Quizá fuese por la capacidad de la juventud para vivir en una muchas vidas. Y capacidad de recordarlas tanto como de olvidarlas. Con igual tenacidad y pasión, con la misma intensa fatalidad. Así que convertimos el final de nuestra relación en otro pequeño secreto sin gran valor, como el que los muertos se llevan consigo a la tumba. Dije antes que en nuestra relación la palabra fin había aparecido no como en una película, sino impresionada sobre la vida, sobre papel mojado. Pues bien, aquellos coletazos de la relación no eran más que los créditos de salida, esa interminable rueda de escenarios, actores secundarios y trabajadores que hacen posible las películas, pero que pasan ante la indiferencia del público que los deja a sus espaldas mientras buscan las puertas y se encienden las luces de la sala.

Trabajé aquel año y aquel mismo año dejé, para siempre, la aburrida carrera que había empezado.

Un día del mes de septiembre metí la ropa, mis cosas, mis libros en las dos maletas, y me dirigí a la estación. Desde el portal, esperando el taxi, miré por última vez el río, la hermosa chimenea de ladrillo, las últimas rosas de otoño en el escuálido jardín municipal de la Rosaleda.

Los viejos Engels, los subrayados Marta Harneker y los trillados tomos sobre las colectivizaciones agrararias en la Baja Andalucía a finales del siglo XIX, seguían siendo un lastre. Si, como decía Stendhal, fuera uno partidario de los corceles y no de los caballos, tendría que decir que me detuve y fui arrojando a la corriente, uno a uno, todos y cada uno de aquellos libros, como el que deshoja fatalmente la margarita de su pasado. O cualquier otra cosa. Inventarse para ellos un destino de polvo, destrucción o inmolación gloriosa. Pero no. Seguí con ellos. Lo mismo que con el miedo o el horror de las madrugadas insomnes o las calles cerradas por la niebla y la inutilidad de todo cuanto hicimos en V., la vieja ciudad que empieza con la misma letra que la palabra Victoria.

Los libros los arrastré conmigo por algunas ciudades. Yo creo que habría sido incapaz de quemarlos. Hubiese sido lo lógico. Tenía sobradas razones para hacerlo. Pero no. Aún me acompañan. Los veo desde aquí en los estantes más altos de mi biblioteca, pegados al techo, en una actitud, a su manera, muy parecida a la de aquel Cristo que llamaban «el suicida», a punto siempre de venirse abajo, pero dando fe, mientras resistan, de unos años y unas vidas más o menos equivocadas, más o menos hermosas, más o menos nuestras. ¿Y el miedo? En cuanto al miedo, poco que decir. Sigue a mi lado todavía, pero ya no es más que un gato viejo y ciego, indiferente a todo.

EPÍLOGO CON «DRAMATIS PERSONAE»

Alguna vez he tenido la oportunidad de volver a V., pero la he dejado correr, lo mismo que he visto cómo se alejaban las aguas del pasado.

Del pasado nos quedan siempre efímeras imágenes, amarillentas instantáneas y, como las hojas secas, unos cuantos recuerdos muertos que no están muertos, pues al andar entre ellos y removerlos con nuestros pasos, se eleva hasta nosotros un rumor y «un bálsamo divino».

Yo creo que he tratado los recuerdos de aquellos años con mimo, pero siempre vendrá alguien que diga que no. Bueno. A mí me parece que he puesto en ellos el esmero del que guarda y arropa en sus cajas de cartón un cuerpo de marionetas. Sería absurdo querer a estas alturas romper nuestros recuerdos, nuestros más queridos títeres. Los polichinelas, pierrots y colombinas que ha ido uno reuniendo a lo largo de la vida no son frágiles y llevan hartos palos en las costillas, pero deberían durar, entre otras razones, porque tienen por delante algunas leguas y tinglados más, si se les deja.

No es infrecuente oír a algún compadre de

aquellos días: «Hicimos lo que teníamos que hacer.» Lo afirman con el orgullo de los excombatientes y caballeros mutilados. Pensar así es una suerte. Observando cómo se han desarrollado los acontecimientos en España, no es difícil deducir que las cosas se habrían sucedido de la misma manera si en vez de correr delante de los guardias lo hubiéramos hecho detrás de las mariposas, con la red, el salacot y una lupa. Que Franco y su partida fueran unos malhechores no quita para que uno piense que poco de cuanto hicimos sirvió para algo, y que aquel algo tampoco justificó el sacrificio de aquello poco, y que dilucidar todo esto nos llevaría siglos. Es verdad que a cambio heredamos el miedo. A otros no les tocó ni eso.

Durante unos años recuerdo que circuló este dicho: «Quien a los veinte no es revolucionario, no tiene corazón. Quien a los sesenta no es conservador, no tiene cabeza.» Incluso como frase es tonta, porque puestos a ello es preferible toparse con jóvenes sensatos y viejos locos, y no al revés, sin contar con que los llamados conservadores siempre quieren conservar lo peor de la vida, y los revolucionarios destruir de ella lo único que la hace tolerable. Así es imposible no ya ser revolucionario o conservador, sino viejo o joven.

Muchos creen que la lucha antifascista fue una lucha por la democracia. Por creerlo, pueden creerlo, si eso les hace ilusión. Todos los que yo conocí en esas escaramuzas estaban encuadrados en partidos cuyos programas soñaban con la dictadura del proletariado. Ahora bien, puede que hubiera otros demócratas que lo fueran de verdad. No digo que no. Pero no tuvimos la suerte de tratarlos ni conocerlos.

El esceptismo sería la única religión a la que valdría la pena convertirse, y deberíamos acostumbrarnos a nuestros fracasos. Para uno el pasado no es más que una equivocación, y no me parece mal, porque es una forma de cerrarlo, que no de abolirlo.

Tal vez lo único que me resista a aceptar es que, a la postre, la Virgen de Fátima y el siniestro Papa Pacelli tuvieran razón en sus vaticinios sobre Rusia. Pero ¿qué se quiere? No siempre se gana. Las justicias poéticas nunca fueron ni justas ni poéticas.

Cuando se desencadenó el derrumbamiento del Este, era de temer que vendrían los supervivientes y viejos divisionarios a recordarnos el «ya os lo decíamos». Aunque sólo fuera por refregarnos con la chacota. Pero ni eso. Se conoce que tampoco a ellos les sirve de gran cosa esa victoria pírrica y que a estas alturas se conforman con aguardar la muerte, metidos en un rincón y sin comprender el mundo, más solos cada vez, más pensativos.

Quedan de la vida, si algo queda, las hojas muertas, unas pocas imágenes amarillentas, tal paseo al atardecer en una playa, la contemplación de un niño dormido, el zumbar de unas avispas sobre una raja de sandía tras un almuerzo campestre, un abrazo, dos o tres adioses, la vaga memoria de unos pocos libros, bagatelas, pavesas, nada, todo lo que a un buen conservador parece insignificante. Eso que los poetas llaman verdad, no siempre con minúscula.

En cierta ocasión escuché que alguien se definía a sí mismo como «poca cosa, pero muy verdadera». Me gustaría que los personajes de esta historia fueran, y uno mismo, antes que cosa ninguna, verdaderos. A mí es lo cierto que a veces me parecen reales y a veces no. Unas veces me digo: están vivos; otras, en cambio, se me figuran literarios. Las razones de estos desajustes yo creo que hay que buscarlas en la propia vida, donde todos, con más o menos fortuna, somos a un tiempo seres de carne y hueso y personajes de novela. Unas veces llegamos a ser hombres o mujeres de una pieza; otras no pasamos de ser fantasmas librescos, aunque sin un Flaubert o un Galdós detrás, poco conformes al fin de tenernos a nosotros mismos como autores y personajes al mismo tiempo. Eso, y que en la vida ninguno de nosotros somos puros, por lo mismo que los latidos de nuestro corazón son desiguales.

Vuelvo a sacarlos a escena por el orden en que aparecieron, no para el aplauso, sino para que contemplen por última vez su amada vida y su ficción.

HENRY BEYLE, que definió la hipocresía –y por tanto la retórica– como la forma de llamar corcel a lo que sólo es caballo.

UN VIEJO que vendía tabaco, corbatas multicolores y barajas pornográficas. Su cráneo recordaba al de Azorín, su temblor parkinsoniano al de un santo anacoreta.

LUIS CARRERO BLANCO, un curioso caso de conciencia. Algunos repudiaron su asesinato con la cabeza y lo aplaudieron con el corazón, cuando lo lógico habría sido lo contrario: que el corazón se hubiera compadecido de él y la cabeza hubiese celebrado su desaparición. Nunca se concitaron en un cohete tantas opiniones encontradas.

PEPE DE JUAN, un optimista. Cobrador de impagados, autor teatral y duelista en su juventud. La vida no pudo bajarle los humos, porque nunca los tuvo, y cuando un revés de la fortuna lo mandó a una tienda de ultramarinos, encontró aquel naufragio providencial: recitaba a su selecta clientela los mejores pasajes de sus obras inéditas.

ANGELINES DE JUAN, hermana del anterior y mujer de

ANTONIO BENAVENTE, padre de

MARTÍN BENAVENTE DE JUAN, quien nunca supo si ser un enamorado clásico era también ser un romántico. Sus mentiras nunca hicieron, que se sepa, daño a nadie.

NARCISO BENAVENTE, tío del anterior, pudo haber sido más de lo que fue, y esto le empujó, de manera fatal, a practicar la hipnosis, la más cubista de las disciplinas frenopáticas. Conocedor como pocos de las pollitas ponedoras, fue un hombre de empresa, y con la democracia en España, Director General de un Ministerio. Aunque supo adaptarse a los tiempos, jamás se olvidó de Su Excelencia y la fotografía de éste, que permaneció durante años sobre una consola de su casa, terminó en un cajón, aunque, eso sí, nunca perdió su marco de plata. Se casó con

MARÍA EUGENIA GARCÍA OLASO, de los famosos García Olaso de Bilbao.

JOSÉ REI. Al morir se llevó consigo dos o tres pequeños secretos. Hubiera merecido otra época, otra novia, otra muerte.

EDUARDO GAZTELU ARIAS, contorsionista y heredero de una funeraria. Le hizo famoso una delación, pero sufrió con estoicismo las consecuencias. No se han vuelto a tener noticias suyas.

GABRIEL TEJERO en el Renacimiento habría obtenido un capelo de cardenal gracias a la sabia combinación de la lógica de Aristóteles y los venenos de la marquesa de Brinvilliers. Interpretaba al violín unas versiones poco humanas de *La Internacional*

LOLA MÁRQUEZ OLAIZOLA, una criatura exterior, ensayó durante años, con éxito, el beso otomano. Su alma, como sus manos de mazapán, tenía los dedos cortos perfumados de mandarina y las uñas mordidas. No la hacía muy feliz saberse tan propensa a ser feliz.

CELESTE MÁRQUEZ OLAIZOLA, una sibila. La mitad de su corazón permanecía cerrado, igual que el ala norte de Lacock Abbey, en Wiltshire, y eso la volvía misteriosa. Al contrario que su hermana, si alguna vez fue feliz, nunca llegó a saberlo.

PALOMA AGUIRRE STERLING, «DOLLY». Amazona.

AGUSTÍN ESPINOSA, surrealista canario. Con eso está dicho todo.

DOMINGO, BRAULIO, OLEGARIO, CIRILO, SEGUNDINO, ARSENIO, SAGRARIO, MARCELO, PETRA, AMALIA, JUAN ALBERTO, ALEXIS LUIS, ROSA, LIDIA, CARLOTA, OLGA, VIRGILIO Y MODESTO, cuerpo de baile.

KNUT HAMSUN: mirar enciclopedias.

AGUSTÍN MUTIS, soldado primero.

TXIQUI REINOSA, soldado segundo.

BILLY EL NIÑO, sicario profesional. No sería nada extraño que le hubieran promovido en la actualidad a Comisario Jefe de Policía en cualquier provincia española o como responsable de seguridad de un narcotraficante. Tampoco que fuera amante esposo y padre de dos preciosas hijitas.

UNOS CUANTOS FALANGISTAS con la zarabanda de los correajes y las medallas. Incluso en invierno iban en mangas de camisa. Tendrían frío, pero lo disimulaban.

ERNEST HEMINGWAY. No confundir con el cazador de leones y bandolero romántico del mismo nombre.

EVELIO ALMANSA, DOMICIANO GARCÍA CAR-

NICERO Y FLORO GARCÍA MIGUEL, un resentido, un tuno y un onanista, no se sabe en qué orden.

UN ABOGADO. Nada que ver con nada.

ÁNGEL LUZÓN, señorito y mamarracho. Seguramente con un fondo bueno. Difícil descubrírselo. No pasará a la historia, pero tenía una pequeña Astra con las cachas de nácar de la que se servía a menudo. Hizo la boda de su vida con

CARMELA LÓPEZ DE AMBRONA, joven que se anudaba las blusas de manera que dejasen ver un minúsculo y oscuro triángulo de vientre, con el objeto de que en su centro, como ojo divino, se le adivinara el ombligo. Con su marido formaba una indisoluble y desincronizada bomba de relojería.

VICENTE MERINO, destacado representante de la escuela del arte.

FRANCISCO ALEGRE, pseudónimo de un periodista que debió de llamarse Francisco Alegre.

JOSEFA GARCÍA VALDECASAS, primer cadáver de Martín Benavente en la mesa de disección.

ANDRÉI BOLKONSKY, príncipe, a quien Tolstoi hace decir: «¿Para siempre? Nada de lo que sucede es para siempre.»

Madrid, 22 de diciembre de 1992.

UN BREVE PRÓLOGO REZAGADO

Las cuatro líneas que siguen deberían figurar en las primeras páginas de este libro, como prólogo, pero los editores me han sugerido que las ponga al final, a modo de epílogo, pues son de la opinión de que las novelas no deben llevar prólogos de ninguna clase, porque éstos, según me aseguran, desaniman a los lectores. Así pues, los epílogos supongo que no llegarán ni siquiera a interesarles.

La idea de escribir un historial de este libro, al modo del que nos dejó Cernuda para *La realidad y el deseo*, era antigua, pero no creo que estuviera justificada, por muchas y evidentes razones. Quizá en otro momento o en otro lugar. Ahora todavía no.

Que alguien, amparándose en una cierta idea del liberalismo, explote, manipule, engañe o sojuzgue a la gente, es cosa que no extraña, porque muchas veces eso ha sido la misma esencia de la doctrina. Ahora, que la explotación la planeen y lleven a cabo aquellos mismos que predicaban acabar con ella, es algo muy raro, pero en la historia de este siglo no tan infrecuente. Que un capitalista se compre un gran Rolls con los tapacubos de oro forma parte de su manera materialista y mezquina de ver las cosas de este mundo, pero ¿cómo hacerle comprender al indigente por cuyos derechos dice luchar éste o el otro, que el apóstol que lo defiende acaba de comprarse un Jaguar? Yo creo que todo el mundo se puede comprar lo que le dé la gana con dinero ganado de una manera limpia, extremo este último del que se podría hablar mucho. Ahora bien, lo que es patético es ponerse a predicar contra la depravación de las costumbres, ser obispo y estar amancebado con el ama de llaves o, en una versión trágica, hacer una bonita revolución, pasar por las armas a unos millones de personas y a otros tantos acomodarles en el gulag, para terminar dejando el país a los sesenta años atrozmente mutilado, moral y económicamente. Uno cree que la humanidad ha de progresar y que la limitación de los privilegios de los poderosos ha de ser progresiva en favor de los más oprimidos, pero no debemos olvidar la máxima según la cual ciertos experimentos conviene hacerlos con gaseosa.

Martín Benavente es un hombre individualista y sentimental, que recuerda con vago humor todo lo que un día vivió con solemnidad, y con sencillez mucho de lo que nació impostado. A él ese desajuste, entre lo que es y lo que fue, no deja de mortificarle un poco, al contrario que a algunos que buscan en lo que fueron una justificación para lo que quieren ser y no son. Por eso Martín es un individualista.

Algunos lectores de esta novela se enfrentaron furiosos a su autor diciendo en su día que éste había mentido y empequeñecido la realidad histórica de la España de los años setenta, lo cual es ridículo.

Martín no acusó ni culpó a nadie de su pasado ni quiso hacer la novela de toda la generación. A Martín su generación le da exactamente lo mismo que las demás generaciones. Hemos dicho que Martín es un hombre que habla de sí mismo. En eso, en hacer fuegos de campamento con otros excombatientes para bruñir las medallas, es desde luego un hombre insolidario y un mal ejemplo para la comunidad. Los demás le importan mucho, pero en cuanto cierran filas con los lugares comunes muy poco. Es de los que después de decir las cosas se encoge de hombros, sin preocuparse por saber si sus palabras han convencido o no a alguien, y se va solo por ahí, a vivir la vida. No es un redentor, no es un predicador, no cree en más revolución que en la de ser libre cada día.

Martín también descubre que fue débil en su juventud. Ésa es la razón por la que se puso a relatar parte de sus recuerdos, consciente también de que si su vida valía algo era como novela. Como todos los individualistas, Martín es un gran mixtificador.

Las novelas que me gustan son las que cuentan la vida de unos personajes y las que traen un poco de vida hasta nosotros, una vida desconocida o perdida. La de Martín Benavente es, así lo siento yo, una vida como muchas. Gustará más o menos, gustará más o menos él, pero en sus palabras alienta una pequeña llama: la de que sus recuerdos sólo son suyos. Son los que le hacen fuerte, porque nadie puede manipularlos, y nadie le podrá convencer de lo contrario, y mucho menos los que no estaban con él para saberlo.

Un día Martín Benavente salió a recorrer la parte de camino que a todo hombre le ha sido concedido. No quiere otra cosa que seguir en él. Has estado unos momentos en su compañía. Déjale irse. Ha nacido para eso. Mientras otros discuten si fueron o no las cosas como él las cuenta, él ha logrado dejarlas atrás y pensar en otras, ni mejores ni peores que las antiguas, sino venideras. Las antiguas no las ha olvidado y por eso escribió este libro, para no olvidarlas, pero ya le sirven de poco.

MOVE ON

ANDRÉS TRAPIELLO
Madrid, julio de 1997

Aquí [illegible] al [illegible] y [illegible]
tendremos que acercar [illegible]. Las [illegible] que [illegible]
que [illegible] por [illegible]
[illegible]
[illegible] de [illegible]
[illegible]
[illegible] por su propio centro: dia[illegible].
En ningún momento pensé que aquel [illegible] sólo
por la [illegible] de lo real, uno es [illegible] quien
[illegible] está informado de los [illegible]
unos, que [illegible]
[illegible] muchas veces [illegible]
[illegible] de la [illegible] y la [illegible]
[illegible] que no podía ser verdad que [illegible]
[illegible] cumplimiento a sus [illegible]. Exactamente [illegible] toda [illegible] lo [illegible]
siempre nos creemos que hechos como aquel [illegible]
rra, sí, aunque siempre lejos y a otros, haciéndolo
más [illegible] a todos (los que nos encontramos a
uno u otro lado del suceso) de esa [illegible] que
creer que todo lo que aparece en un periódico [illegible]
[illegible] de su verdad para ser historia, dejando de